Heksen fra Skyggetorn

Heksen fra Skyggetorn, Volume 1

Antonio Carlos Pinto

Published by Antonio Carlos Pinto, 2024.

This is a work of fiction. Similarities to real people, places, or events are entirely coincidental.

HEKSEN FRA SKYGGETORN

First edition. January 15, 2024.

ISBN: 979-8224602957

Written by Antonio Carlos Pinto.

Jeg dedikerer dette værk til alle dem, der overgiver sig til fiktionens magi og begiver sig ind i verdener skabt af fantasi,

Til de læsere, der fylder siderne med historier med liv, som drikker hvert ord, som om det var en fortryllelseseliksir,

For de utrættelige drømmere, hvis tro på ordenes magt og drømmenes styrke aldrig falmer,

Til venner og familie, hvis kærlighed og konstante støtte fylder mit liv med inspiration og glæde,

Og mest af alt til dig, kære læser, hvis nysgerrighed og dedikation former essensen af den litterære oplevelse.

Må "Heksen fra Skyggetorn" være et tilflugtssted, en portal til et rige af fortryllelse og følelser, og må hver side være en dans mellem virkelighed og fantasi.

Med dyb taknemmelighed og hengivenhed,Antonio Carlos Pinto.

HEKSEN FRA SKYGGETORN

DAARZAKS FORBANDELSE

SKREVET AF ANTONIO CARLOS PINTO

Resumé

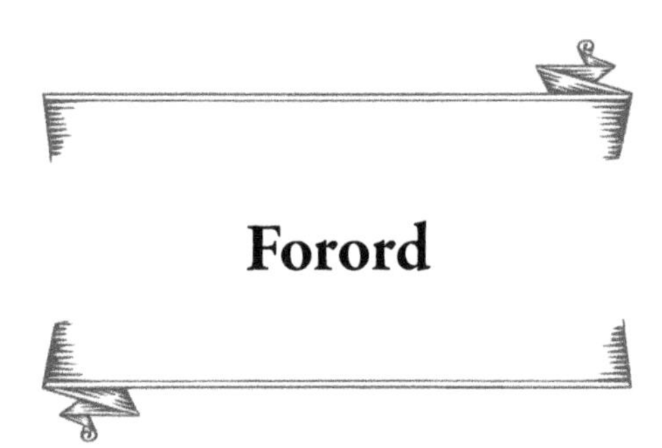

Forord

Forbandet eller velsignet, dette er historien om en kærlighed, der fik mig til at gå amok mellem op- og nedture. En kærlighed, der tog mig til skyerne og derefter sank mig ned i fortvivlelsens hul.

Det var en kærlighed, der trodsede reglerne for magi og skæbne, men endte med at fejle over for mørke kræfter.

Det hele startede, da jeg forlod min lille by på jagt efter viden på Nightglens magiske skole. Der mødte jeg Darius, troldmanden, der var sådan et smukt og fængslende skue. Hans blå øjne lyste klart, som et bål af lidenskab, da de så på mig. Jeg var fuldstændig hooked af hans charme, men jeg stod også over for bomben: Darius var en efterkommer af en forbandet slægt kaldet Shadowthorn, præget af skumle skygger siden for evigt.

Sammen står vi over for op- og nedture i denne forbandelse, både i os selv og i livet. Det var en rutsjebane, fuld af gode og dårlige øjeblikke. Men i sidste ende lykkedes det os at finde ægte kærlighed, og det gjorde al forvirringen det værd.

Så kom det øjeblik, hvor vi troede, at vi kunne bryde denne forbandelse, idet vi ville befri Darius fra den byrde, han altid havde båret.

Men uden at sige farvel gik han, efterlod mig hjerteknust, ødelagde vores drømme og efterlod mig en lille gave af denne forbudte kærlighed.

Nu sidder jeg her og spekulerer på, om jeg vil finde Darius igen, om vores søn vil opdage sandheden om vores afsked, og om skyggerne én gang for alle vil give os hvile.

Det er spørgsmål, som du, nysgerrig læser, vil opdage, mens du fortsætter dette eventyr...

Prolog

Elia boede i en stille landsby kaldet Grammaria sammen med sin mor, Isadora. På trods af at hun boede i en grøn og solrig dal, valgte Isadora, som var en naturtroldkvinde, at holde Elia væk fra det magiske rige.

Elia voksede op uden selv at have mistanke om hendes magiske oprindelse og troede, at hun bare var en normal pige. Hans mor, ekspert i at skjule NightGlens hemmeligheder og de kræfter, de delte, holdt alt under lås og slå.

Da Elias magiske kræfter begyndte at dukke op og komme ud af kontrol, afslørede Isadora hele sandheden. Resultat? Elia var en arving af lys magi, med kræfter, som hun havde brug for at lære at tæmme for ikke at fare vild i den mørke kunst.

Bekymret over ikke at være i stand til at vejlede sin datter tog Isadora en svær beslutning: at sende Elia til NightGlen for at bo hos Gareth, hendes fremmedgjorte far.

Elia, der er vant til et fredeligt liv i Grammaria, var usikker på, om hun skulle forlade alt og leve en ny virkelighed i NightGlen. Elia vidste dog, at han ville savne sine venner, landsbyfesterne og gåturene gennem dalen i solen.

Men Elias nysgerrighed efter at opklare NightGlens mysterier og hendes ønske om at lære sin far og den magiske verden at kende talte højere. Rejsen fra Grammaria til NightGlen ville være lang og ensom og passere gennem tre landsbyer, før den ankom til NightGlens mystiske kyster.

Elia tilpassede kraven på sin frakke, da han gik væk fra Grammaria og vinkede farvel til det bløde lys, der oplyste landsbyens gader. Solen, som altid var der, vinkede allerede farvel, og hun begyndte at mærke en antydning af nervøsitet, da hun fulgte vejen mod det ukendte.

De første månens stråler dukkede langsomt op og oplyste vejen, da den passerede gennem den første landsby, Willowbrook. De små træhuse så ud til at bære enkle historier, men Elia kunne ikke lade være med at sætte spørgsmålstegn ved den beslutning, han havde truffet. Skygger spillede blandt træerne, og en lille stemme inde i hendes hviskede tvivl, som en kold brise, der rystede hendes selvtillid.

Den anden landsby, Whispering Pines, dukkede op, dens små lys blinkede som fjerne stjerner. Elia så på refleksionen af månen i vinduerne og rejste i sine egne tanker. Manglen på Grammarias sikkerhed omfavnede hende, men nysgerrigheden skubbede hende fremad. For hvert skridt blev landsbyen længere væk, en beslutning, der ikke kunne tages tilbage.

Den tredje landsby, Misthaven, dukkede op i horisonten. Elia følte et gys, da en ugle landede på et træ i nærheden og kiggede på hende, som om det var et tegn. Tvivl invaderede hans sind og blandede sig med lyden af grene i nattebrisen.

Den interne konflikt blev stærkere, efterhånden som kanterne af NightGlen nærmede sig. Månelyset viste vej, men mørket, der ventede hende, var tæt. Elia tænkte på, hvad han havde efterladt, og hvad han ville finde forude, mellem sikkerheden ved Grammaria og NightGlens usikkerhed.

Vognen fortsatte, og hver kilometer så ud til at tage Elia til en mere mystisk destination. Frygt og nysgerrighed blandede sig og dannede en stram knude i hendes bryst. Hun var ved at gå ind i NightGlen, og det ukendte var der og ventede med sine skygger og hemmeligheder.

The Shores of NightGlen

Vognen gled til NightGlens grænser og forlod det himmelske skær, der varmede mit hjerte. Øjeblikkeligt ændrede atmosfæren sig, skyggerne dansede omkring mig, som om de havde deres eget liv, en ældgammel magi omsluttede luften. Forude afslørede et natlandskab med ældgamle træer og snoede stier, og hvert skridt trak mig dybere ind i den magi, der gennemsyrede riget.

De første øjeblikke i NightGlen føltes som at dykke ned i et hav af hemmeligheder. Frygten varede ved, men nysgerrighed tvang mig til at udforske det ukendte. Natlige væsner, gemt i skyggerne, iagttog mig med funklende øjne, tavse vogtere af det magiske rige.

Min fjerne far, Gareth, ventede på mig i denne magiske skygge. Hjertet hamrede af forventning, da vognen rykkede frem gennem tætte skove og gådefulde lysninger. Hvert træ syntes at bære en ældgammel historie, og vindens hvisken bar ekkoer af hemmeligheder, der blev holdt i evigheder.

Månelyset ledede mig stadig og gav en æterisk udsigt over nattelandskabet, før det nåede NightGlens kyster. Nysgerrighed forvandlede frygt til fascination, ivrig efter at opklare mysterierne omkring min magiske slægt.

Vognen nåede endelig kanten af NightGlen!

Tykt mørke omsluttede skoven, mine tanker fløj som blade i vinden. Jeg forsøgte at berolige mit sind, men noget stærkere omsluttede mig, som om skæbnen hviskede i mine ører.

Usikkerheden dominerede, da jeg skulle beslutte mig for at stige ud af vognen. Mørket forude hviskede uransagelige hemmeligheder. Hvad hvis jeg forvildede mig i skyggerne? Da jeg forsøgte at fokusere på Grammarias fjerne lys, tøvede jeg.

Jeg gik ud, mine øjne skinnede under den svage måne. Over for NightGlens indgang omsluttede en ubehagelig kulde mig. Den kolde brise fik mit åndedræt til at stoppe, men mærkeligt nok blev angsten i mit bryst ikke aftaget.

Da jeg stirrede på NightGlens skyggefulde indgang, fangede noget i den mørke skov mit øje. En mystisk skikkelse bevægede sig mellem træerne, undslap måneskin og kastede skygger, der dansede i det skjulte.

Jeg stod forankret ved det spændende syn og tøvede, mit hjerte hamrede af usikkerhed. En skjult tilstedeværelse i den mørke skov syntes at kalde på mig, en ukendt kraft, der vakte min nysgerrighed og ængstelse.

Hvorfor jeg stoppede ved kanten af NightGlen hænger i luften, et spørgsmål, der hænger som en gådefuld sky over mig. Min skæbne synes forbundet med skovens mysterium, klar til at afsløre sig selv på de skjulte sider af min rejse. Hvad venter mig ud over denne mørke indgang?

Jeg vendte tilbage til vognen og overvejede muligheden for at vende tilbage til sikkerheden i min mors hus eller tage til min fars, selvom rejsen blev mere og mere usikker. At beslutte sig for denne tærskel mellem det velkendte og det ukendte indhyllet i skygger er en udfordring. Fremtiden hvisker hemmeligheder, og jeg må mellem tøven og mod vælge min vej.

Ankomst til Nightglen

Jeg har altid stolet på min mors råd, men på NightGlen var solen en sjælden gæst, der forsvandt, da jeg kom ned ad den snoede vej. Mit hjerte bankede hurtigt, fordybet i det mørke landskab, hvor hemmeligheder lurede i skyggerne.

I vognen, på vej mod denne mystiske destination, afspejlede de duggede vinduer det grå landskab, der omgav alt. Afslappet på bænken så jeg NightGlen langsomt glide foran mig.

Stenhusene med skrå tage, nogle med alderstegn, så ud til at falde sammen. Butikkerne med slørede vinduer gav følelsen af at være stoppet i tide, de seneste årtier gav genlyd i alle detaljer. En lavtliggende tåge svævede under en solfri himmel og lovede endnu en kedelig dag med regn. Intet mindede mig om den solrige og livlige Gramaria, jeg efterlod.

Jeg sukkede længselsfuldt og længtes efter varmen fra solen, der kyssede mit ansigt og legede med mit gyldne hår, en levende kontrast til det grå hav omkring mig. Jeg længtes efter mine venners latter på gaden, hvor alle kendte alle og glæden herskede. Der, bare stilhed og fjern torden.

Alt virkede mærkeligt og mørkt, hvilket øgede uroen i mit bryst. Mine øjne søgte desperat efter et glimt af lys og liv blandt de monotone facader, men fandt kun mørke. Som om solen var forbudt på det sted.

Den landsby, jeg engang kaldte hjem, syntes nu at tilhøre et andet liv, som en elsket drøm, hvorfra jeg brat blev vækket. Jeg forstod stadig ikke hvorfor, men der stod jeg, usikker på vej mod en lige så mystisk destination.

I slutningen af rejsen rystede vognen foran porten til det mørke palæ, omgivet af skumle træk, som ville blive mit nye fængsel. Jeg kiggede væk fra landskabet udenfor og gjorde mig klar til at gå ned. Min far, Gareth, ventede allerede på mig, stentrappen gentog hans angst ved indgangen.

Jeg smilede, på trods af at jeg var stram i halsen og den mistænkelige fugt i øjnene. Jeg ville ikke lægge mere vægt på min far, som også virkede træt efter så mange års mellemrum. Jeg så bekymringslinjerne i hans ansigt og sølvtråene i hans mørke hår. Gareth forsøgte at smile, da han så mig, men han kunne ikke skjule sit bekymrede blik.

Mens jeg læssede min bagage af, en enkelt kuffert med mine få ting, kunne jeg ikke undgå at bemærke en gådefuld ung mand i vinduet i nabohuset. Hans kantede træk og dybe øjne iagttog mig diskret. Hans blå øjne funklede, da han mødte mine et øjeblik. Da han indså, at jeg så på ham, gik han væk i skyggerne og forsvandt som en flygtig skygge.

– Hvem bor der, far? Ved vi det? — spurgte jeg nysgerrigt og viste det tomme vindue med en bevægelse af mit hoved.

Gareth rynkede panden, et udtryk fyldt med bestyrtelse, som jeg ikke havde set i lang tid. En vene pulserede på hans tinding, et tydeligt tegn på utilfredshed.

– Det er Skyggetornene. Gamle mennesker kendt for at arbejde med forbudt magi, desværre... Det er bedst at holde afstand til dem, min datter. De er ikke godt selskab for en ny pige her i landsbyen.

Forbudt magi? Uhyggelig hekseri? Øvede den dreng mørke kunster, som min far insinuerede? En byge af spørgsmål invaderede mit sind, men Gareth var allerede på vej mod døren, hvilket indikerede, at dette obskure emne ikke ville blive diskuteret i den kolde, fugtige gade. I hvert fald ikke nu.

Senere, i det beskedne værelse, der ville være mit, tænkte jeg på de sande grunde, der fik min mor, Isadora, til at insistere på, at jeg opgav mit fredelige liv i Gramaria for at gå ind i den gådefulde og dystre landsby NightGlen!

Men jeg var så træt af den lange rejse, jeg tog fra Grammaria hertil. At jeg uden at lægge mærke til mine tunge øjne faldt i søvn...

Mørke mareridt

Jeg åbnede mine øjne og dykkede ned i Nightglens spændende hemmeligheder og afslørede mysterier rundt om hvert hjørne. Da jeg udforskede landsbyen, hørte jeg sladder om gamle legender, historier om tabt magi og forbudte kræfter.

På den centrale plads så jeg den blåøjede unge mand i en forhastet samtale med en hætteklædt skikkelse. Nysgerrig kom jeg tættere på for at fange noget af det, de diskuterede.

Ord som "profeti", "skæbne" og "sovende magt" genlød blandt skyggerne og øgede uroen i mit hjerte. Hvad skete der i Nightglen? Hvilke hemmeligheder holdt landsbyen på?

Om natten gik jeg ned til haven til det dystre palæ, fast besluttet på at afsløre sandheden. Det var da den unge mand dukkede op og afslørede, at Nightglen gemte ældgamle hemmeligheder, og min ankomst var ikke tilfældig. En profeti forbundet med min skæbne for århundreder siden var på spil.

Indhyllet i følelser og tvivl satte jeg spørgsmålstegn ved, om jeg ville være nøglen til at låse op for Nightglens mysterier. En gammel kraft pulserede i mig, en forbindelse til noget større, end jeg forstod.

Landsbyens gåde begyndte at udfolde sig og afslørede utænkelige stier. Hvad ville fremtiden bringe for mig og Nightglen? Rejsen var lige begyndt, og jeg var fast besluttet på at afsløre enhver hemmelighed, som skyggerne skjulte.

Den aften fordybede jeg mig endnu mere i Nightglens gådefulde atmosfære. Indbyggerne fortalte historier om gamle klaner, mørke pagter og en mystisk fortid. Mens jeg udforskede, afslørede landsbyen sine skjulte facetter, dens smalle gyder skjulte gamle hemmeligheder.

Den mystiske, blåøjede unge mand, knyttet til tabte traditioner og en ældgammel profeti, vakte min nysgerrighed. Jeg udviklede en ejendommelig forbindelse med landsbyen, som om Nightglen også mærkede den forandring, min tilstedeværelse medførte. Magiske elementer af profetien manifesterede sig omkring mig og skabte en atmosfære ladet med energi.

Skyggen af Skyggetornen svævede imidlertid over min rejse. De, der holder af mørke hemmeligheder, ville afsløre sandheden bag forbandelsen, der plagede Nightglen. En slumrende gammel kraft ventede på at blive vækket, og var jeg nøglen til at befri den?

Da natten sluttede, var jeg vidne til ældgamle ritualer og foruroligende åbenbaringer. Min far, Gareth, var forbundet med disse begivenheder på måder, som selv han ikke helt forstod. Mørket blev dybere og afslørede familieintriger og længe glemte konflikter.

For at opklare mysterierne begav jeg mig ind i de mest skjulte hjørner af skoven, der omgav Nightglen. Under det blege måneskin opdagede jeg et glemt alter, præget af gamle symboler. Var landsbyens skæbne forbundet med denne gamle ceremoni?

Jeg indså, at profetien ikke blot var en løs tråd i skæbnens stof; det var et indviklet plot, der involverede alle indbyggere i Nightglen. Opvågningen af den slumrende kraft nærmede sig, og jeg var den ubevidste hovedperson i denne mørke fortælling.

Hvis jeg konfronterede min far med hans rolle i dette komplicerede net, ville han så afsløre den smertefulde sandhed, som Isadora så havde undgået at fortælle? Et vanskeligt valg hang over mig: accepter min skæbne og slip den ældgamle magi løs eller gør modstand, og dømme Nightglen til en endnu mørkere skæbne.

Der var ingen vej tilbage, for vognen, der bragte mig til Nightglen, virkede nu som et fjernt ekko af fortiden. Solen, der engang kyssede mit ansigt i Gramaria, var fraværende, erstattet af det nært forestående af et dybt og ukendt mørke.

Min rejse var langt fra slut, og Nightglens skygger ville afsløre udfordrende hemmeligheder, ikke kun om det overnaturlige, men også om de valg, der ville forme landsbyens skæbne og min egen vej.

Jeg vågnede lamslået! Jeg indså, at jeg drømte om NightGlens mysterier og den blåøjede ungdom.

Første dag på trylleskole

Næste dag... Efter en dårligt sovet nat præget af mørke mareridt, hvor en mørk stemme hviskede uforståelige ord i mit øre, gik jeg ned og tænkte stadig på det korte glimt, jeg havde af drengen med dybe øjne dagen før og på mine drømme . Der var noget ved ham, der fascinerede mig dybt, selvom jeg ikke kunne forklare præcist hvad?

Måske var det bare grundløse historier for at skræmme udenforstående, men var han virkelig involveret i mørk magi, som Gareth havde insinueret? Disse gennemtrængende blå øjne havde en næsten hypnotisk glød med en foruroligende dybde. Men i et par sekunder så jeg dem gnistre af hvad der virkede som nysgerrighed og interesse, da de så mig komme.

Min far spiste allerede morgenmad i det beskedne køkken, da jeg kom ind, stadig iført min slidte kjortel over min natkjole. Gareth kiggede op fra avisen for at nikke mig, da han så mig skænke mig en kop dampende sort te. Duften af bergamot beroligede mine nerver lidt.

— Far, hvem er Skyggetornene egentlig? Har du boet i Nightglen længe? spurgte jeg efter en slurk og prøvede at lyde afslappet.

Gareth blev nærmest kvalt af det stykke brød, han tyggede, og hostede et par gange, før han besvarede mit spørgsmål med en pandebryn. Jeg kunne se, at emnet generede ham meget.

— Ved guderne, Elia! Hvem fortalte dig om dem? Det er en sag, der ikke vedrører os...

— Ingen fortalte mig noget... Jeg har lige hørt nogle rygter derude, og jeg var nysgerrig, det er alt. - Jeg løj og ville bevare min far.

Manden sukkede træt og overvejede et øjeblik, om han virkelig skulle dele familiens mørke historie med sin datter. Til sidst besluttede han at fortælle en opsummeret og mindre morbid version af fakta.

- Nå, de er en meget gammel slægt, der har beboet disse lande i mange generationer. Længe før du overhovedet blev født, og vi flyttede hertil, boede de i det dystre palæ på toppen af bakken. De var altid noget tilbagetrukne og reserverede, og gik sjældent ned til landsbyen eller blandede sig med os. Så begyndte rygterne at cirkulere...

– Hvilken slags rygter? - fremskyndede min nysgerrighed.

— Tja... nogle siger, at de var involveret i sort magi, forbudte ritualer og andet sådan noget sludder. Det er nok bare ubegrundede rygter, folk misundelige på deres formue og indflydelse. Uanset hvad, er det bedst at holde afstand. I hvert fald indtil man lærer folkene her bedre at kende.

Sort magi og forbudte ritualer? Så kunne rygterne om den mystiske dreng fra nabohuset have noget grundlag? Dette øgede kun min interesse og begejstring endnu mere. Tilsyneladende gemte mine nye naboer meget dybere og mørkere hemmeligheder, end jeg oprindeligt kunne forestille mig...

Efter morgenmaden tog Gareth mig i vogn til de imponerende jernporte, der bevogtede indgangen til Nightglen School of Magic.

Det var en imponerende bygning med meget hvide vægge, marmorsøjler og pilastre, samt utallige tårne og tårne med deres spidse lilla kupler. Da jeg gik op ad den brede stentrappe til den rigt udsmykkede lobby indeni, mærkede jeg en mærkelig følelse af sommerfugle i min mave, som om hundredvis af sommerfugle flagrede med vingerne på samme tid.

Dels nervøsitet og dels begejstring for, hvad der ventede mig. Det ville trods alt være min første dag som hekselærling under officiel uddannelse. Alt var nyt og opdaget i det øjeblik. Selv efter mange års liv med magi derhjemme, takket være min mors lære, var dette anderledes.

Det var som at komme ind i en helt ny og fascinerende verden med dens regler og hemmeligheder.

Indenfor blev jeg venligt modtaget af direktør Agnes, en ældre, men stadig meget adræt dame, med sit grå hår altid bundet i en stram knold oven på hovedet. Hendes blik var strengt bag hendes guldkantede briller, men hendes stemme lød overraskende sød, da hun bød mig velkommen i håb om, at jeg ville falde godt til rette i skolen.

Derefter gav Agnes mig mit elevsæt med undervisningsskemaer, lærebøger, en marineblå uniform med en plaid nederdel og blazer, samt andre materialer såsom en fjerpen, blækhus, regler og et skilt med mit navn og hus. Hun redegjorde roligt for husenes funktion, disciplinernes opdeling og de interne regler. Jeg indrømmer, at mit hoved snurrede og forsøgte at assimilere så meget ny information, men jeg gjorde mit bedste for at registrere hver eneste detalje.

I hvert emne i den omfattende læseplan blev jeg instrueret i at sidde ved siden af en veteranstuderende, som ville være ansvarlig for at vise mig skolens praktiske arbejde og hjælpe mig i denne indledende tilpasningsperiode.

Og sådan var det hele den første travle dag med undervisning. Jeg befandt mig konstant omgivet af nye og mærkelige ansigter, og forsøgte at absorbere så meget, som jeg kunne, om det totalt ukendte univers, der var magiens komplekse kunst. Potions, Transfiguration, Herbologi, så mange spændende emner!

I hvert fag fik en anden lærer og en anden kollega til opgave at vejlede mig. Alle var hjælpsomme og forsøgte at få mig til at føle mig godt tilpas, selvom jeg ikke kunne undgå en vis generthed og forlegenhed over at være i centrum for opmærksomheden. Min underviser i urtelære, Edgar, en fregnet og grinende dreng, måtte stikke i mig et par gange for at få mig til at svare på lærerens spørgsmål.

— Kom nu, vær ikke bange! Professor Strickland kan virke gnaven, men inderst inde er han en god fyr. - hviskede Edgar med et opmuntrende smil.

Det lykkedes mig endelig at slappe lidt af og endda udarbejde nogle svar, til lærerens tilfredshed. Lidt efter lidt lærte jeg det nye univers at kende, og det virkede ikke så skræmmende længere. Indtil et vist punkt...

Indtil, til min store overraskelse, da jeg trådte ind i det nyligt renoverede, men stadig dårligt oplyste potionsrum, nede i fangehullerne, var den person, der blev valgt til at være min underviser og partner i det emne, ingen ringere end den mørke unge mand, jeg havde set i vinduet . Sidste dag.

Da professor Slughorn bad ham om at præsentere sig ordentligt for den nytilkomne i landsbyen, rejste drengen sig fra sit skrivebord bagerst i lokalet og glattede sine sorte klæder med en næsten indøvet gestus. Så kiggede han direkte ind i mine øjne med et blåt blik så dybt, at det lignede to bundløse huller. Jeg mærkede et gys løbe ned ad min rygrad.

– Dejligt at møde dig, frøken Elia. Jeg er Darius Shadowthorn. Velkommen til Nightglen School of Magic.

Hans stemme lød lidt hæs og dyb, men ekstremt poleret og veltalende. Jeg mærkede mine kinder varme op mod min vilje, da han gav mig hånden som hilsen. Et kort øjeblik havde jeg indtryk af, at der løb en elektrisk strøm gennem min krop med den kontakt.

Darius Shadowthorn... den samme spændende og mystiske dreng fra nabohuset, som havde fyldt mine tanker siden min ankomst til denne landsby. Den, min far havde advaret mig om at undgå, fordi han angiveligt var involveret i den mørke kunst. Og nu, ville han være min private underviser i de potions-klasser i fangehullerne?

Jeg kunne næsten ikke tro, at skæbnen havde konspireret for at bringe det så tæt på, på min første dag. Var det virkelig bare en tilfældighed? Eller var der noget mere bag dette, en form for design af universet, der ønskede at forene vores veje? Jeg indrømmer, at ideen gav mig gåsehud, uden at jeg vidste, om det var frygt eller... forventning.

— T-tak... — Jeg stammede genert efter et par øjeblikke, hvor jeg bare stirrede på ham med åben mund og prøvede at genvinde min stemme og formulere noget svar. — Det er en ære at have dig som underviser, hr. Shadowthorn.

Darius nikkede let og høfligt uden at ændre sit altid alvorlige og uigennemtrængelige udtryk. Men selv i min forlegenhed kunne jeg ikke undgå at bemærke et næsten umærkeligt flimren passere gennem de dybe øjne, da han stirrede på mig i det korte øjeblik.

Noget ved hans mystiske og magnetiske blik efterlod mig på samme tid forvirret og håbløst tiltrukket. Det var, som om han kunne se dybere inde i mig og nå frem til hemmeligheder, som selv jeg ikke kendte. Jeg prøvede at ryste disse forvirrende tanker af sig, da Darius talte igen:

— Nå, lad os starte timen, før professor Slughorn kommer for at skælde os ud for vores samtale. Potions er en meget delikat kunst og skal studeres seriøst og med total koncentration. Jeg håber du er klar til udfordringen...

Darius sagde dette med en næsten truende tone af formalitet. Et øjeblik mærkede jeg et nyt gys løbe ned ad min rygrad, mit hjerte slog hurtigere. Kunne han indse den overvældende effekt hans tilstedeværelse havde på mig? Men så opdagede jeg et næsten umærkeligt flimren af humor i hans tonefald.

Måske var den mørke dreng alligevel ikke så skræmmende. Eller var det bare en facade for at skjule hans sande hensigter? Med ham ville det nok tage mig lang tid at tyde hans egentlige tanker og formål.

Indtil videre besluttede jeg mig for bare at nikke med hovedet kraftigt og forberede mig på at lære så meget, som jeg kunne, af denne hotte nye private underviser. Hemmeligheder eller ej, Darius Shadowthorn vakte min nysgerrighed på en næsten berusende måde. Og det at være så tæt på ham i de næste par timer fyldte mig med vild angst.

Darius begyndte roligt at forklare ingredienserne, der allerede var arrangeret på disken foran os, de magiske egenskaber ved hver enkelt og deres anvendelse til at lave helbredende eliksirer og andre mere avancerede.

Jeg forsøgte at være størst mulig opmærksom på hans instruktioner og absorberede hver eneste detalje, men jeg kunne ikke forhindre mit blik i at glide i hans retning nu og da, idet jeg bemærkede ting som kontrasten mellem det sorte i hans tøj og hans meget blege hudtone, den næsten hypnotiske, hvordan han svævede den lille sølvdolk, mens han omhyggeligt skar rødderne, den surrealistiske bevægelse af hans læber, mens han forklarede opskrifterne...

Det var virkelig svært at holde fokus på selve eliksiren, da jeg havde sådan en vision lige ved siden af mig. Uanset hvor meget jeg prøvede, syntes mine øjne og sind at have deres eget sind. Det var, som om han udøvede en eller anden form for magnetisme over mig og tiltrak min interesse med hver gestus og ord.

Jeg indrømmer, at jeg fandt ham ret attraktiv ved første øjekast, selv uden at kende hans navn endnu. Og nu, da man så ham tæt på og hørte hans fløjlsbløde stemme, voksede denne interesse kun og antog bekymrende proportioner. Jeg havde brug for at kontrollere min frugtbare fantasi, ellers ville jeg ende med at stå over for alvorlige problemer, før jeg overhovedet afsluttede min første dag på den skole.

Da Darius roligt forklarede de næste trin for at tilberede en simpel helbredende drik, forblev jeg distraheret og nikkede bare vagt, mens mit sind vandrede væk. Indtil jeg i et øjeblik af skyldig uopmærksomhed, fraværende tabte en hel krukke med enhjørningshornpulver i den boblende blanding inde i kedlen.

Darius spærrede øjnene op, fik dem til at virke endnu større og mere hypnotiske, og fejede hurtigt gryden væk med en smidig bølge af sin tryllestav, før katastrofen antog endnu værre proportioner.

— Vær mere opmærksom, frøken Elia! Du skal følge instruktionerne omhyggeligt og med fuld koncentration! Ellers kan det være meget farligt at håndtere ustabile ingredienser og eliksirer! Jeg har set afgjort flere talentfulde elever få deres hår brændt og ansigter vansiret for meget mindre end det...

Darius' stemme lød tør og skarp som en pisk, så forskellig fra den tålmodige, høflige tone, han havde brugt før. Han virkede faktisk irriteret over min uopmærksomme slip-up, og måske endda også lidt skuffet. Jeg mærkede mit ansigt varmes voldsomt, denne gang af ren forlegenhed. Hvordan kunne hun gøre sig selv forlegen den første dag i undervisningen, især foran ham?

- Undskyld! — udbrød jeg fuldstændig flov. – Det er bare... det hele er så nyt for mig. Jeg lover at være mere opmærksom!

Darius tog et par dybe vejrtrækninger og forsøgte at genvinde sin ro. På trods af hans hårde tone virkede han tilsyneladende ikke oprigtigt vred, bare bekymret over min skødesløshed i et potentielt farligt miljø som en potions-time.

– Okay, lad os starte forfra. Men vær mere opmærksom, okay? Det er vigtigt at følge processen korrekt, hvis du vil undgå ulykker. - sagde han i en blødere tone.

Jeg nikkede heftigt, mit ansigt brændte stadig af forlegenhed. Han havde fuldstændig ret, jeg havde brug for at koncentrere mig, ellers ville jeg aldrig blive en rigtig heks. Og at lave fejl i den første klasse foran ham var uacceptabelt.

Jeg følte mig stadig frygtelig flov over, hvad der var sket, og jeg fokuserede på Darius' hvert ord, så vi kunne begynde at tilberede eliksiren fra begyndelsen igen og følge hans instruktioner til punkt og prikke. Det ville være en lang rejse, før jeg beviste, at jeg var værdig til at være på den magiske skole, men jeg ville ikke give op så let.

Især nu hvor jeg havde mødt Darius Shadowthorn. Hvor skræmmende som han kunne virke ved første øjekast, var der også en aura af mystik omkring ham, som tiltrak mig fra første øjeblik. Jeg havde brug for at finde ud af mere om den dreng med hypnotiske blå øjne og hans involvering i den mørke kunst.

Desuden ville jeg have mange flere muligheder for at interagere med ham i fremtidige potions-klasser. Hvis jeg var forsigtig og viste dedikation, ville han måske åbne mere op og fortælle mig noget om sig selv. Jeg var fast besluttet på at gøre mig fortjent til hans tillid, selvom det tog tid.

Resten af dagen på Trylleskolen fløj afsted efter den tumultariske første Potions-time. For hver ny klasse, jeg tog, forsøgte jeg at absorbere så meget, som jeg kunne, om den mærkelige nye verden, der var magi. Besværgelsernes kompleksitet, den omhyggelige tilberedning af eliksirer, anvendelsen af de mest forskelligartede planter og svampe... Alt virkede så nyt og udfordrende!

Mine vejledere guidede mig tålmodigt gennem hver klasse, besvarede spørgsmål og guidede mig trin for trin gennem den nødvendige teori og praksis. Den unge troldmand Edgar fortsatte med at støtte mig i de andre discipliner, hvilket hjalp meget med at reducere min indledende generthed. Ved slutningen af dagen følte jeg mig lidt mere sikker på min plads som ny på denne skole.

Men uanset hvor hårdt jeg prøvede at holde fokus på mine lektioner, forvildede mine tanker sig ofte tilbage til Darius Shadowthorn. Hans mørke og mystiske facon vakte min nysgerrighed på en næsten feberagtig måde. Jeg havde brug for at afsløre dens hemmeligheder, selv uden at vide præcis hvorfor.

Hjemme efter den udmattende første rejse på Magic School, under den stille middag med min far Gareth, talte jeg begejstret om alle de nye opdagelser, venner og udfordringer. Jeg har dog udeladt enhver omtale af navnet Shadowthorn, for at undgå at bekymre dig unødigt. Det var endnu for tidligt at dømme dem.

Gareth virkede distraheret og svarede i enstavelser, tydeligt med sindet langt væk. Efter megen insisteren indrømmede han endelig, hvad der generede ham:

— Rådet er bekymret... Nogle beboere har rapporteret om mærkelige hændelser i det omkringliggende område om natten. Det ser ud til, at der er en slags magi involveret.

Mystisk natmagi? En anden mulig indikation på, at mine nye naboer gemte hemmeligheder langt ud over, hvad jeg havde forestillet mig? Gearene begyndte at bevæge sig i mit nysgerrige sind. Jeg havde brug for at finde ud af mere.

Men for nu var det nok med opdagelser og følelser for en dag. Jeg var udmattet efter så mange nye oplevelser, mennesker og udfordringer i skolen. Det eneste, jeg ønskede mest, var en god nats søvn, før jeg dykkede ind i denne komplekse nye virkelighed, der var Nightglens magiske univers.

Desværre kom søvnen ikke så let og fredeligt, som jeg havde håbet. Samtalen om mystiske begivenheder i løbet af natten med min far Gareth ville ikke forlade mit hoved. Og han blev selvfølgelig også ved med at tænke på den spændende Darius Shadowthorn.

Indtil jeg kom fra det halvåbne vindue, hørte en blød lyd bryde nattens stilhed. Som et raslen, et næsten umærkeligt flagren. Var det bare vinden, der blæste gardinerne? Drevet af en ivrig nysgerrighed rejste jeg mig lydløst op fra sengen, og da jeg nærmede mig vinduet, kærtegnede en kølig brise mit ansigt, og en blød lugt af våde blade gennemsyrede luften. Under månens blege lys fandt mine øjne et overraskende skue: en hvid ugle, med faner så lysende som sne, sat på rækværket.

Hans ravgule øjne stirrede ind i mine med en næsten menneskelig intensitet. Det majestætiske væsen syntes at formidle et mystisk budskab, noget ud over hvad ord kunne udtrykke. Jeg blev der, hypnotiseret, i et øjeblik, der virkede evigt.

Det var da, at uglen løftede sine vinger og fløj mod nattehorisonten og forsvandt ind i mørket. En følelse af dyb mening gennemsyrede mit væsen, som om det møde havde været mere end en simpel chance.

Da jeg kom tilbage i seng, lagde jeg mig ned med mit sind fuld af spørgsmål og mysterier. Hvad repræsenterede den ugle? Var det et tegn, en budbringer af de hemmeligheder, som Nightglen holdt på? Og hvad med den unge Darius, indhyllet i sin aura af mystik?

I dagene efter dykkede jeg dybere ned i magiske studier, og dedikerede mig flittigt til hver disciplin. Under Darius' vejledning blev potions-klassen en spændende udfordring. På trods af hans krævende temperament begyndte jeg gradvist at indse hans dybe viden og dygtighed inden for eliksirkunsten.

Vores interaktioner, oprindeligt præget af spænding, blev transformeret til øjeblikke af læring og medvirken. Darius viste sig at være ikke kun en dygtig vejleder, men også en person, der er i stand til at forstå magiens subtile nuancer. Hans ord og fagter formidlede en dyb forbindelse med den skjulte verden.

Sideløbende med mine studier på skolen udforskede jeg omgivelserne i Nightglen, og forsøgte at afsløre de hemmeligheder, der svævede over landsbyen. Jeg fandt i det gamle biblioteks arkiver fragmenter af antikke tekster, hentydninger til profetier og ritualer, der er gået tabt i tiden, knyttet til Shadowthorn-familien.

En nat, da jeg vandrede i de stille gader, blev jeg overrasket af en hætteklædt skikkelse, der dukkede op fra skyggerne. Det var Darius, den blåøjede dreng, jeg havde set i nabohuset. Hans blik var intenst, fuld af skjulte betydninger.

– Du er tættere på, end du tror, Elia. Skæbnestykkerne er på linje. - var hans gådefulde ord.

Jeg spurgte ham om sneuglen, og Darius smilede og afslørede viden, der oversteg almindelig forståelse. Han forklarede, at ugler, især hvide ugler, var budbringere fra et skjult rige, bærere af visioner og hemmeligheder.

Samtalen med Darius øgede kun mysteriet omkring Nightglen. Hver ledetråd, hvert møde, syntes at væve et komplekst plot, som jeg knap var begyndt at forstå. Der var en pulserende energi i landsbyen, en slumrende kraft, der ventede på at blive vækket.

Da jeg stødte på Darius' dybe øjne i potionstimen, blev følelsen af, at vores møde ikke bare var en tilfældighed, stærkere. Der var en forbindelse mellem os, noget der gik ud over ord og fagter.

Hver dag dykkede jeg dybere ned i søgen efter Nightglens hemmeligheder i et forsøg på at opklare mysterierne omkring min ankomst og den rolle, jeg spillede i det plot. Og midt i skyggerne og lysene, magien og mystikken, følte jeg, at Nightglens skæbne og min egen var indviklet sammenflettet. Og jeg var villig til at opklare hver gåde, møde hver udfordring, på jagt efter den sandhed, der ventede i dybet af den gådefulde landsby.

Kræfter afsløret

En uge senere hørte jeg støjen på mit værelse igen, i begyndelsen så jeg ikke andet end skyggerne af tørre trægrene, der svajede i nattebrisen. Men så fangede en bevægelse min opmærksomhed. Stillet elegant i vindueskarmen stirrede en smuk brun ugle på mig med sine store gullige øjne.

Og bundet til dens pote, en lille sammenrullet seddel. Mit hjerte løb. Var det en besked fra Rådet om nattens begivenheder, min far nævnte? Eller noget endnu mere mystisk og hemmeligt? Med skælvende fingre løsnede jeg sedlen fra uglens pote, som tudede sagte, inden jeg tog flugten, og læste dens korte indhold:

"Kære frøken Elia,

Jeg har virkelig brug for at tale med dig, under stjernernes lys. Mød mig ved midnat i haven til Shadowthorn Manor. Kom venligst alene.

Darius S."

Indkaldte Darius Shadowthorn mig til et hemmeligt møde i hans hus ved midnat? Mit hjerte stoppede næsten, da jeg var færdig med at læse de mystiske linjer. Hvad kunne være så presserende og privat? Og hvad havde han i sinde at afsløre for mig under stjernernes natlige slør?

Tusind modstridende tanker væltede gennem mit rastløse sind, mens jeg genlæste og genlæste noten, bare for at være sikker på, at jeg ikke havde forestillet mig dens eksistens. Kan dette møde have noget at gøre med den mystiske natmagi, der bekymrede Rådet og min far?

Jeg lagde mig ned igen og så buduglen tage majestætisk flugt gennem natten, indtil den forsvandt ud af syne i mørket. Men søvnen kom ikke, og jeg forblev vågen, indtil de første solstråler frygtsomt trængte ind i rummets støvede farvede glasvindue og oplyste let væggene.

Min krop råbte på hvile, men mit sind summede, fyldt med spørgsmål om betydningen af det mystiske budskab. Hvad kunne Darius Shadowthorn ønske at dele med sådan hemmelighed ved vores første møde uden for skolen?

Jeg kendte ham faktisk næsten ikke andet end korte interaktioner i fangehullerne under potionstimen. Og det var nok til at vække min næsten besatte interesse for at optrevle dens hemmeligheder. Der var noget i de dybblå øjne som natten, der tvang mig til at ville udforske deres dybder, selvom jeg endnu ikke vidste, hvor det kunne føre mig hen.

Og nu denne natlige invitation til et hemmeligt møde i hans hjem... Dette øgede kun luften af mystik omkring Shadowthorn-familien. Kan dette mærkelige konklave have noget at gøre med den mystiske natmagi, der bekymrede Rådet og min far? Eller ville det handle om noget endnu mørkere og farligere?

Så meget som jeg også følte, vidste jeg inderst inde, at jeg ville give efter for fristelsen. Nysgerrighed havde altid været stærkere end frygt i mig. Jeg havde brug for at opdage, hvilke hemmeligheder Darius og hans familie holdt på, selvom det betød, at man ikke adlød Gareths anbefalinger og sneg sig ind i de mørke hekse og troldmænds domæner.

Resten af dagen trak ud i smerte, mens jeg spændt ventede på det mærkelige møde. Jeg forsøgte at optage mit sind ved at deltage i nogle timer med Lizeth, min nye og kære ven, studere simple besværgelser, som jeg allerede mestrede, og hjælpe min far med huslige pligter.

Men det nyttede ikke noget, mine tanker endte altid på en eller anden måde med at vende tilbage til den mystiske seddel leveret af uglen ved midnat. Endelig gik solen ned over horisonten og gav plads til nattens sorte, stjerneklare tæppe. Det var på tide.

Da klokken i stuen slog midnat, sneg jeg mig nedenunder og passede meget på ikke at vække min sovende far. Huset var stille, kun oplyst af den flimrende lampe, jeg tog med. Jeg mærkede, at mit hjerte ville eksplodere i mit bryst, men jeg forblev bestemt.

Natten udenfor var kold og måneløs. Jeg bevægede mig forsigtigt gennem skyggerne mod det imponerende palæ på en bakketop, hvor Darius boede med sin familie. Tusind tanker fortsatte med at summe gennem mit sind, da jeg nærmede mig den majestætiske jernlåge, der var udformet med indviklede designs af vinstokke og flagermus.

Selv i mørket kunne jeg se den finurlige have fuld af rosenvinduer og andre natlige planter, der udstrålede magiske parfumer. En sand kontrast til de dystre facader og dystre atmosfære, der hang over ejendommen. Var de blot tilsyneladende for at vildlede de bange landsbyboere? Eller en reel foregribelse af, hvad der ventede mig på vej ind i de vægge?

Jeg tøvede et øjeblik med hånden strakt centimeter fra den kolde jernlåge. Der var stadig tid til at gå hjem og glemme alt om dette absurde møde. Men nej... jeg havde brug for at vide det. Jeg tog en dyb indånding for at holde mit mod fast og skubbede til den tunge port, der åbnede sig uden den mindste støj, som om den var blevet godt vokset.

Indenfor var stilheden næsten trykkende, kun brudt af den fjerne kvidren fra græshopper og raslen fra flagermusvinger hist og her. Mine dæmpede fodtrin hen over plænen syntes at ekko i stilheden. Det var da, jeg mærkede en hånd røre ved min skulder, så jeg hoppede forskrækket og næsten skreg.

– Elia! Bare rolig, det er mig! Jeg ville ikke skræmme dig sådan... - kom Darius' rolige stemme bag mig.

Jeg vendte mig hurtigt om med min hånd på mit bryst og forsøgte at dæmpe mit hjerteslag. Selv i det svage lys stod hans blege ansigt frem, hans blå øjne glimtede let, da han så på mig.

– Darius! Sikke en forskrækkelse... Jeg troede, jeg så en spøgelse eller noget. Hvad er så presserende, at det ikke kunne vente til i morgen?

Jeg lagde mærke til, at han var iført en mørk hættekappe, sandsynligvis for at camouflere sig selv om natten under vores hemmelige møde. Darius så sig forsigtigt omkring, før han hviskede svarede:

– Det er ikke sikkert at tale her. Kom, jeg kender et sted, hvor vi kan snakke uden afbrydelser.

Uden mange muligheder fulgte jeg ham, da Darius begyndte at snige sig ind i haverne bag palæet. Han så ud til at være bekymret for ikke at blive set af nogen, selvom ejendommen var helt stille.

Vi ankom til et lille isoleret lysthus, dækket af vinstokke og skyggefulde træer. Indeni følte vi os endelig trygge ved at tale privat, væk fra nysgerrige øjne og ører.

Mit hjerte hamrede i forventning om, hvad der skulle komme. Darius tændte et ensomt lys på det udskårne stenbord og kastede flimrende skygger over sit blege ansigt. Et øjeblik stirrede han bare på mig i stilhed, som om han overvejede, hvor han skulle begynde.

— Jeg forestiller mig, at du har mange spørgsmål, Elia. Og jeg er villig til at besvare dem, så vidt det er muligt. Men først har jeg brug for din hjælp. Det er et spørgsmål om liv og død.

Jeg slugte, tøvende. Jeg havde aldrig forestillet mig, at en så alvorlig anmodning ville komme på vores første hemmelige møde.

- Min hjælp? Men hvad kunne jeg eventuelt hjælpe med? Jeg nåede knap nok til denne landsby...

Darius sukkede, og hans blik fik et mørkt udtryk.

— Jeg ved, det er meget at forlange af dig, at stole på en, du lige har mødt. Men tro mig, jeg ville ikke have grebet til dette, hvis vi ikke var desperate.

- Desperat? Hvad mener du?

Han kom tættere på og holdt mine hænder i sine større, behandskede. Jeg mærkede et gys løbe gennem min krop ved den uventede kontakt.

— Det handler om de mærkelige begivenheder, der har fundet sted i Nightglen i løbet af nætterne... mørke og dødbringende ting hjemsøger denne region. Og du, Elia, er den eneste, jeg kan stole på, til at hjælpe os med at stoppe denne trussel, før det er for sent.

Jeg slugte hårdt, mit sind snurrede. Så min mistanke var korrekt! Alt hænger sammen på en eller anden måde. Men hvorfor kunne jeg hjælpe?

— Jeg forstår ikke... hvad er det præcist, der sker? Og hvad kunne du gøre for at hjælpe?

Darius rystede mine hænder, hans gennemtrængende blik mødte mit i lysthusets dunkle lys. Jeg mærkede mit ansigt varmes op i nærheden.

- Jeg kan ikke afsløre alt endnu. Men vid at du er speciel, Elia... meget mere end du ved. Du vil snart forstå din rolle i dette plot. For nu, tro mig bare.

Jeg nikkede langsomt, selvom jeg stadig var chokeret over alle de afsløringer. Der var så meget mystik bag den familie... men noget inde i mig sagde, at jeg skulle stole på Darius.

– Okay... jeg stoler på dig. Og jeg vil gøre mit bedste for at hjælpe med det, der er nødvendigt.

Lettelse skyllede over hans ansigt, da han hørte mit svar. Så i det fjerne hørte vi det lave ringetone af en klokke.

- Jeg er nødt til at gå nu, før de opdager mit fravær. Jeg vil snart forklare alt, det lover jeg. Bare hav tro.

Og før jeg nåede at svare på noget, forsvandt Darius ud i natten og efterlod mig med endnu flere spørgsmål end før.

Sukkende forlod jeg også lysthuset og vendte hjem med mit sind i uro. Uanset hvad der skete i Nightglen, var jeg uigenkaldeligt i centrum af det nu...

At lære Skyggetornen at kende

Den nat tog det mig lang tid at falde i søvn. Darius' mystiske ord ville ikke forlade mit hoved. Mørke ting hjemsøger landsbyen, og jeg ville være den eneste, der kunne hjælpe... men hvordan? Det er fordi?

Så mange spørgsmål er stadig ubesvarede. Men jeg stolede på Darius, gådefuld som han var. Der var en påtrængning og oprigtighed i hans blik, der overbeviste mig om at tro på ham.

Da det endelig lykkedes mig at sove, fyldte mærkelige drømme mit sind. Mørke billeder, uforståelige hvisken, skygger i bevægelse... Jeg vågnede med en start ved daggry uden at forstå, om det bare var et mareridt eller en vision om noget virkeligt.

På trods af den dårlige nattesøvn vågnede jeg fast besluttet på at prøve at finde flere spor på egen hånd. Gareth nævnte ikke min korte forsvinden natten over, til min lettelse. Efter morgenmaden gik jeg i skole, hvor jeg fandt Lizeth, der allerede ventede spændt på mig ved indgangen.

- Elia! Hvordan var din første nat her? Noget interessant at fortælle?

Jeg diskuterede et øjeblik, om jeg skulle fortælle ham om det hemmelige møde, men besluttede at holde det hemmeligt indtil videre.

— Det var faktisk ret fredeligt... intet i forhold til travlheden i skolen! Og du, gjorde noget interessant?

Mens Lizeth snakkede om sin middag med sin familie, fortsatte jeg med at tænke på måder at opklare de mysterier, der nu omgav mig i den mærkelige landsby, hvor min mor havde sendt mig...

Der var så mange gåder og ubesvarede spørgsmål, der hang over mig, siden jeg ankom der. Darius' kryptiske ord i aftes forstærkede kun min mistanke om, at mørke hemmeligheder lurede bag Nightglens vægge og geniale optrædener.

Jeg havde brug for at finde ud af mere, selvom jeg stadig ikke havde mange bud på, hvor jeg skulle begynde at undersøge. Måske ville du finde nogle svar i bøgerne på skolebiblioteket eller ved at observere vigtige personer og steder på gaden. At løse dette mysterium var blevet en slags personlig mission, et behov, der gik ud over det rationelle.

Dagen i skolen forløb som den plejede, mellem timerne, studiet og chatten med mine nye klassekammerater i frikvartererne. Edgar fortsatte med at støtte mig som en ældre bror, altid villig til at hjælpe og besvare mine spørgsmål om ethvert emne.

Indtil det var tid til potions-time, mit mest ventede og frygtede øjeblik på dagen. Hun var bange for at gøre sig selv til grin igen foran Darius, men hun så også frem til at se ham igen i håb om at finde ud af mere om ham og hans familie.

Til min overraskelse var Darius dog ikke til stede, da jeg gik ind i fangehullet. Hans sædvanlige sæde forblev tom uden nogen forklaring. Jeg kastede et spørgende blik på Lizeth, der trak på skuldrene, lige så nysgerrig som mig.

Professor Slughorn nævnte ikke sit fravær i undervisningen. Jeg kunne næsten ikke være opmærksom på den drik, vi forberedte, og forestillede mig årsagerne til Darius' pludselige forsvinden dagen efter vores hemmelige møde. Var det bare en tilfældighed?

I slutningen af timen, stadig fascineret, besluttede jeg hurtigt at kigge forbi biblioteket, før jeg vendte hjem. Hvis der var svar at finde nogen steder, ville det være blandt de tusindvis af bøger på de endeløse træhylder.

Jeg begyndte at gennemsøge hallerne og sektionerne om historie og gamle bosættelser, på udkig efter nogen omtale af Nightglen eller regionens fremtrædende familier, såsom skyggetornene. Indtil, på en bestemt støvet hylde, fangede et leksikon min opmærksomhed. Det var et gammelt bind med titlen "Great Families of the Nightglen Region - History and Genealogies".

Den bog må sikkert have indeholdt værdifuld information om Skyggetornen og deres forfædre! Jeg tog den ned fra hylden og mærkede allerede min puls blive hurtigere. Jeg følte en skyldfølelse over at have tilsidesat kun reglerne ved at åbne bogen lige der og da, men min længsel efter svar talte højere.

Jeg bladrede i indholdsfortegnelsen med skælvende fingre, indtil jeg fandt det, jeg ledte efter: "Skyggetorn - en ældgammel slægt mellem lys og mørke." Min ånde var dæmpet, da jeg begyndte at læse ivrig efter spor.

Kapitlet begyndte med en kort beskrivelse af Shadowthorn-familiens herkomst i regionen, der går århundreder tilbage. De beboede allerede disse lande længe før Nightglen blev grundlagt som en troldmandslandsby. Når jeg så afsnittene igennem, fangede især én sætning min opmærksomhed:

"... selvom de gennem årene ofte har været forbundet med rygter om involvering i forbudt magi og ritualer, har Skyggetornen også haft fremtrædende medlemmer, som har bidraget til udviklingen af det lokale magiske samfund."

Så der var virkelig en vis sandhed bag rygterne, han havde hørt om dem! Men det så ud til, at ikke alle Skyggetorn fulgte mørke stier, med undtagelser hist og her. Kunne dette være tilfældet med Darius?

Desværre var jeg ikke i stand til at videreføre min undersøgelse på det tidspunkt, da jeg hurtigt hørte fodtrin og stemmer nærme sig. Jeg markerede hurtigt siden og lukkede bogen, og lagde den i det skjulte tilbage på hylden, inden jeg skyndte mig at gå væk.

Indtil videre må jeg nøjes med denne lille nye information og love mig selv at vende tilbage en anden dag for at undersøge dette værdifulde materiale yderligere. Nu var jeg i hvert fald sikker på, at der lå meget mere bag den familie, end det så ud til.

Jeg havde brug for at finde ud af, om Darius og de andre nuværende medlemmer af Shadowthorn passer ind i kategorien "lyse" eller "mørke" inden for deres snoede familiearv. Og hvis jeg virkelig havde en forudbestemt rolle i denne lange og mørke historie, som han havde insinueret...

Desværre havde jeg i ugerne efter, ringe mulighed for at fortsætte min undersøgelse af Skyggetornen. Ud over skolestudierutinen skulle jeg nu også hjælpe min far Gareth med huslige pligter, da han havde arbejdet sent de sidste par dage.

Ifølge Gareth mødtes landsbyrådet ofte for at diskutere indeslutnings- og overvågningsplaner mod de "natlige trusler", der bekymrede alle. Som repræsentant for en af de lokale traditionelle familier blev han konstant kaldt til disse møder, der varede langt ud på natten.

Når det var muligt, forsøgte jeg at stille skjulte spørgsmål om, hvad der præcist foregik, og hvad Rådet planlagde at gøre ved det. Gareth var dog uenig og sagde, at det var en "fortrolig sag", og at jeg ikke skulle blande mig.

Men dette øgede selvfølgelig kun min interesse for at undersøge på egen hånd. Der var noget uhyggeligt, der spredte sig over Nightglen, og jeg havde brug for at finde ud af, hvad det var. Ud over at forstå en gang for alle Skyggetornens rolle i alt dette, og hvorfor Darius havde insisteret på, at jeg kunne hjælpe.

Desværre fortsatte Darius med at være fraværende fra skoletiden på Magiskolen, til min frustration. Hans konstante fravær begyndte at skabe kommentarer og rygter blandt eleverne. Nogle foreslog, at han i al hemmelighed arbejdede sammen med Rådet for at bekæmpe de natlige trusler, der plagede landsbyen.

Andre hviskede dog mørkere rygter og sagde, at Darius faktisk var involveret i dem, der forårsagede de skumle begivenheder, og planlagde, hvem ved, hvilken grusomhed mod beboerne i Nightglen.

Jeg prøvede at ignorere disse grimme kommentarer, men tvivlen begyndte at stikke ind i mit sind. Hvad hvis Darius og hans familie ikke virkelig var værdige til den tillid, han havde vist dem? Hvad hvis der virkelig var en sandhed bag disse rygter?

Den eneste måde at finde ud af det var at komme tættere på Skyggetornene, men de forblev lige så isolerede og reserverede som altid. Du ville have brug for en meget god plan for at komme ind i deres inderkreds. Og hun var villig til at gøre alt, hvad der skulle til for at opklare dette mysterium.

Den nat lå jeg der og forestillede mig måder at infiltrere Skyggetornen på. Indtil jeg kom fra det halvåbne vindue, hørte en sagte lyd bryde stilheden... Det var som et raslen, et næsten umærkeligt smæld. Så dannes der et klik i mit sind: den perfekte løsning!

Jeg rejste mig hurtigt og gik for at kigge udenfor. Elegant oppe i vindueskarmen stirrede en smuk krudtugle på mig med sine store gule øjne i det svage lys. Selvfølgelig, hvordan havde jeg ikke tænkt på det før?

Messenger-ugler er altid blevet brugt blandt guider til at levere beskeder hurtigt og fortroligt. Især denne lod til at vente på mig, næsten som om den havde modtaget mit mentale kald om hjælp.

Jeg tog et stykke pergament og skrev en simpel note, hvor jeg prøvede at vælge mine ord omhyggeligt:

"Kære Adelaide Shadowthorn,

Jeg ville elske at kunne tale med dig om magiske og historiske emner. Dine perspektiver ville være af stor værdi for at forbedre min læring. Kan du få mig til te i din bolig en af dagene? Jeg lover ikke at optage for meget af din tid.

Venlig hilsen,

Elia Gareth"

Så snart jeg var færdig, bandt jeg sedlen til uglens pote.

- Tag det her til Adelaide Shadowthorn, tak. Og vent på svaret.

Fuglen kvidrede indforstået og lettede ud i natten. Nu var det bare et spørgsmål om at vente. Med held ville denne lille løgn være det pas, jeg skulle bruge for at komme ind i Shadowthorn-cirklen.

Dagen efter var jeg ved at færdiggøre min morgenmad, da den samme ugle fra den foregående nat fløj ind gennem det åbne vindue og overraskede min far, der læste avisen.

— En ugle til dig, min datter? Hvem skal det være?

Jeg dækkede min nervøsitet ved tilfældigt at løsne sedlen fra fuglens pote.

— Det må være en ven fra skolen... nu til dags bruger unge disse hurtige kommunikationsmidler.

Jeg trak mig hurtigt tilbage til mit værelse for at læse beskeden væk fra Gareths nysgerrige øjne. Mit hjerte kom næsten ud af min mund, da jeg læste de elegante linjer:

"Kære frøken Elia,

Jeg er smigret over din interesse for vores historiske arv. Det ville være en fornøjelse at byde dig velkommen til en hyggelig eftermiddag med te og en stimulerende samtale i min bolig..."

Min plan virkede! Endelig en chance for at komme ind i den mystiske Skyggetorns cirkel og opdage deres sande hensigter. Det eneste spørgsmål nu var: var jeg virkelig parat til at se de mørke hemmeligheder i øjnene, jeg ville finde indeni?

På trods af min frygt forberedte jeg mig på den fastsatte dag med omhu til at besøge det dystre Skyggetorn-palæ. Jeg brugte mere tid end normalt på at rede mit lange gyldne hår og vælge en enkel, men elegant blå kjole. Jeg ville gøre et godt førstehåndsindtryk.

Da jeg gik, opfandt jeg for Gareth, at jeg ville studere eliksirer med Lizeth. Han så ud til at acceptere undskyldningen, da han hurtigt blev distraheret af rådspapirer spredt ud over bordet. Mødet i går aftes så ud til at have efterladt ham udmattet.

Jeg fortsatte til fods gennem snoede gader og smalle gyder, indtil jeg så den imponerende bygning på toppen af bakken, med dens tårne og brystværn sat i silhuet mod den overskyede himmel. Jeg slugte hårdt og prøvede at kvæle den dårlige følelse, der kom over mig, da jeg trak vejret i den dystre atmosfære. Men jeg fortsatte med at gå bestemt.

De tunge jernporte åbnede sig på magisk vis, da jeg nærmede mig, som om de allerede ventede spændt på min ankomst. En sti af slidte og flækkede sten førte til fortrappen, hvor en ældre kvinde i mørkt tøj og gråt hår bundet i en knold ventede på mig.

– Velkommen, frøken. Elia. Jeg er Adelaide Shadowthorn. Kom ind. Der er allerede serveret te.

Hans stemme var blød, næsten melodisk, i skarp kontrast til hans strenge træk. Jeg fulgte Adelaide gennem den dystre, højloftede lobby ind i et rigt dekoreret rum. Et elegant bord med to stole ventede allerede på os, fyldt med appetitlige lækkerier og en dampende porcelænskedel.

Vi sad overfor hinanden. Adelaide hældte teen kaldet Clairvoyance i mine kopper og forklarede, at det var en magisk sort, der kun blev dyrket i den region, og som er i stand til at udvide opfattelsen af dem, der drak den. Jeg løftede tøvende koppen til mine læber og duftede den stærke, urteagtige aroma.

– Vær ikke bange, min kære. Det er fuldstændig harmløst, det lover jeg. Det hjælper hende bare med at se ud over udseendet.

Jeg nikkede og tog en eksperimentel slurk. Faktisk mærkede jeg mine sanser med det samme skærpes, som om et slør blev åbenbaret foran mig, der tillod mig at se ud over overfladiskheden. Farver og konturer fik mere klarhed og dybde. Jeg blinkede et par gange, overrasket, mens Adelaide iagttog mig med et tilfreds blik.

— Præcis den effekt, jeg håbede, du ville føle, unge dame. Nu kan vi tale med vores virkelig åbne sind.

Hun tog en langsom slurk fra sin kop og studerede min reaktion over porcelænskanten. Der var næsten et glimt af forventning i hans øjne, som om han længtes efter noget, jeg endnu ikke kunne forstå. Jeg besluttede, at det var på tide at begynde min undersøgelse:

— Lady Shadowthorn, jeg kom her netop for at lære mere om Nightglens historie og store familier som din. Der er så mange fascinerende detaljer, at jeg kun kender nogen som dig, der kan forklare...

Adelaide nikkede og virkede tilfreds med mit initiativ. Så begyndte han at tale om grundlæggelsen af landsbyen, gamle legender, slægter af kendte troldmænd... Jeg lyttede fortryllet, selvom jeg lyttede efter oplysninger om hans egen familie.

Indtil jeg efter en pause til mere te spurgte, hvad jeg egentlig ville have:

– Hvad med Skyggetornene? Jeg læste, at de er en af de ældste familier i regionen... hvad kan du fortælle mig om deres historie?

Adelaides øjne funklede lidt, og et næsten umærkeligt smil dukkede op på hendes læber, før hun fortsatte:

— Ja, vi har en virkelig bemærkelsesværdig herkomst... I århundreder var vi store velgørere af Nightglen, på trods af nogle sorte får, der endte med at skabe en vis mistillid. Men vores familie overvandt disse gamle stigmatiseringer for længe siden...

Hun talte med stolthed og hovmod. Men noget i blikket i hans øjne fortalte mig, at der var mere til den flatterende version af Shadowthorn-historien. Meget mere end Adelaide var villig til at afsløre i øjeblikket...

Jeg fortsatte med at stille strategiske spørgsmål og prøvede at styre samtalen tilbage til det formodede "stigma" og dårlige ry fra familiens fortid. Adelaide afledte behændigt samtaler, skiftede emne eller gav undvigende svar.

Indtil, til min overraskelse, kom en anden person ind i lokalet og afbrød vores samtale: Darius Shadowthorn. Han stoppede overrasket, da han så mig, hans dybe blå øjne kedede sig ind i mig med en næsten håndgribelig intensitet.

– Elia? Hvad laver du her?

Jeg lagde mærke til, at han havde handsker på og havde et par ridser på hans blege ansigt. Som om han lige var ankommet fra en eller anden besværlig opgave udenfor.

— Din mor har venligt inviteret mig på te og en hyggelig snak om historie og magi. - Jeg forklarede hurtigt og prøvede at lyde afslappet.

Darius kastede et fascineret blik på Adelaide, som blot smilede roligt, før han svarede:

— Det er næsten tid til middag, min kære. Jeg må følge dig hjem nu, ellers bliver din far måske bekymret.

Der syntes ikke at være plads til splid i Adelaides melodiøse, men autoritative stemme. Jeg sagde høfligt farvel, lovede at besøge hende oftere, og fulgte Darius ud af palæet. Tusind spørgsmål myldrede i mit sind på vej tilbage gennem landsbyen.

Indtil Darius brød den eftertænksomme stilhed:

– Hvad ville min mor egentlig med dig, Elia? Jeg er sikker på, at det ikke kun var at diskutere gamle historiske begivenheder.

Jeg overvejede, om jeg skulle fortælle dig om min undersøgelse, og besluttede at være ærlig. Adelaide havde tydeligvis allerede mistanke om noget, så det ville være meningsløst at benægte det. Jeg forklarede min søgen efter svar og tilgang.

Darius rynkede panden, tilsyneladende lige så fascineret som jeg var af hans mors hensigter med at modtage mig så opmærksomt.

- Adelaide har altid været forbeholden i sine sande hensigter. Men jeg er sikker på, at han ikke ville modtage hende sådan uden bagtanker. Pas på, Elia... ikke alt er, som det ser ud til med min familie.

Jeg sad eftertænksomt. Han havde grund til at være mistænksom. Adelaide skjulte tydeligvis noget om Shadowthorn-arven og ønskede at holde mig rundt af årsager, der stadig er uklare.

— Bare rolig, jeg ved, hvordan jeg skal passe på mig selv. Og jeg vil også gerne finde ud af sandheden... om din familie, om de mærkelige begivenheder i denne landsby. Noget siger mig, at vi alle er forbundet i det her, uanset om vi kan lide det eller ej.

Darius så tøvende ud, men sukkede så opgivende.

- Måske har du ret. Og hvis det er tilfældet, må du hellere være forberedt. Gamle og mørke ting er på vej i Nightglen. Du vil snart forstå.

Jeg slugte hårdt ved de knap så beroligende ord. Men han ville ikke vise svaghed. Hvis jeg var bestemt til at deltage i alt dette, hvad end det var, ville jeg stå over for denne udfordring på hovedet.

Vi kom hjem, og Darius sagde snart farvel med henvisning til andre opgaver. Men før han gik, holdt han min hånd og så mig dybt ind i øjnene.

– Hvis du har brug for mig, så tøv ikke. Og vær forsigtig... Jeg vil ikke have, at du kommer til skade, når du prøver at afsløre sandheder, der måske bedre må lades i dvale.

Med de tågede ord forsvandt han ned ad gaden. Jeg stod i døren et par øjeblikke og prøvede at bearbejde vores mærkelige møde og alle de nye oplysninger.

En ting var sikkert: Jeg var nu uigenkaldeligt knyttet til den familie på en eller anden måde. Og han ville ikke hvile, før han afslørede alle sine mørke begravede hemmeligheder.

Beslutsom gik jeg ind i huset for at finde Gareth. Det var på tide også at få svar om nattens begivenheder og Rådets engagement med Skyggetornen én gang for alle.

Jeg fandt min far siddende ved bordet, omgivet af pergament med sedler, som han straks forsøgte at skjule, da han så mig. Hans blik var mørkt, og der var dybe cirkler omkring hans øjne, et tegn på søvnløse nætter.

– Far, hvad sker der? Og giv mig ikke undskyldninger, jeg ved det er noget alvorligt. Jeg har brug for at vide sandheden!

Gareth kørte en hånd gennem sit grå hår og diskuterede, om han virkelig skulle involvere sin datter i dette. Til sidst besluttede han at fortælle en opsummeret version af fakta.

— Det er okay, du er gammel nok til at forstå... Men du skal holde det hemmeligt, disse rådssager kan ikke blive offentligt kendt.

Jeg var meget enig. Så afslørede han om nattens angreb, ofre med uforklarlige kvæstelser, observationer af ukendte væsner... til dato havde hverken Rådet eller Shadowthorns været i stand til at identificere eller stoppe truslen.

— Derfor de konstante møder og natpatruljer på det seneste. Vi forsøger at forsvare landsbyen så meget som muligt, men denne fjende ser ud til at luske i skyggerne.

Jeg hørte alt med forbløffelse. Situationen virkede endnu værre, end jeg havde forventet.

— Der må være en måde at finde ud af, hvad vi er oppe imod! Hvis bare vi kunne fange et af disse væsner...

– Det er for risikabelt! - Gareth benægtede på det kraftigste. — Vi har allerede mistet gode troldmænd, der forsøgte. Det bedste nu er at forstærke beskyttelsen og vente på, at denne trussel passerer naturligt.

Jeg var uenig i hans passive tilgang, men jeg vidste, at intet ville ændre hans mening. Han ville være nødt til at handle på egen hånd... og han havde indtryk af, at Skyggetornene havde det på samme måde.

— Okay, far... Jeg lover ikke at gøre noget farligt. Men følg med. Og pas venligst på dig selv på natpatruljer.

Gareth nikkede, stadig tilbageholdende med at lade mig gå. Men jeg havde et nyt spor at følge. Hvis disse natlige væsner var den sande kilde til de skumle begivenheder, havde jeg brug for at finde ud af mere om dem.

Og jeg kendte en, der måske kunne hjælpe mig...

Jeg var dybt i tankerne, da jeg planlagde mit næste træk. Besøget på Shadowthorn-palæet havde givet mig værdifuld information, men det havde også rejst flere spørgsmål, end jeg kunne tælle.

Nu skulle han finde Darius igen og fortælle, hvad han havde opdaget. Måske kunne vi sammen låse op for mysteriet bag de natlige væsner og mørke aktiviteter, der plagede Nightglen.

Næste morgen tog jeg til det sted, hvor jeg plejede at møde Darius. Jeg ventede et stykke tid, men han dukkede ikke op. Jeg spurgte nogle kolleger, om de havde set ham, men ingen vidste tilsyneladende, hvor han var.

Darius' fravær begyndte at bekymre mig. Var der sket ham noget under hans nattemissioner? Kunne det være, at han var direkte involveret i skabningerne og var i fare?

Jeg besluttede, at jeg ikke kunne vente længere. Jeg måtte finde ham og finde ud af, hvad der foregik. Da jeg passerede gennem Nightglens gyder og smalle gader, gik jeg mod Shadowthorn-palæet.

Da jeg kom dertil, mødte jeg Adelaide igen, denne gang ved indgangen til palæet. Hun virkede overrasket over at se mig.

- FRK. Elia, sikke en overraskelse at se dig så snart. Skete der noget?

Jeg forklarede om Darius' fravær og min bekymring over hans opholdssted. Adelaide virkede oprigtigt overrasket og bekymret. Hun forsikrede, at hun ikke havde nogen idé om, hvor hendes søn befandt sig, og at han ikke var vendt tilbage den nat.

— Jeg vil mobilisere nogle familiemedlemmer til at lede efter ham. Bare rolig, vi vil gøre vores bedste for at finde den. Tak for din bekymring, frøken. Elia.

Jeg takkede Adelaide og tilbød min hjælp i søgningen efter Darius. Hun accepterede mit tilbud og sagde, at hun ville være taknemmelig for enhver information, jeg kunne finde.

Med det begyndte jeg at gå rundt i landsbyen og gå til steder, hvor Darius kunne komme på sine natlige missioner. Jeg spurgte et par personer, om de havde set ham, men ingen lod til at have nogen oplysninger.

Det var da, jeg huskede noget, Darius havde sagt i vores sidste samtale: "Hvis du har brug for mig, så tøv ikke." Disse ord genlød i mit sind og gav mig en idé.

Jeg vendte tilbage til Shadowthorn-palæet og bad Adelaide om tilladelse til at få adgang til familiens bibliotek. Jeg havde en anelse om, at jeg kunne finde et fingerpeg om Darius' opholdssted i bøgerne og dokumenterne, der var gemt der.

Hun accepterede og førte mig til biblioteket. Jeg var overrasket over antallet af bøger og ruller, der fyldte hylderne. Jeg begyndte at scanne titlerne og ledte efter ethvert spor, der kunne guide mig.

Det var dengang, jeg fandt en gammel bog med titlen "The Night Creatures of Nightglen: Myths and Reality". Det så ud til at være præcis, hvad jeg havde brug for.

Jeg bladrede ivrigt i bogen og ledte efter information om de skabninger, der plagede landsbyen. Jeg fandt detaljerede beskrivelser og nogle teorier om dens oprindelse og adfærd.

Da jeg stødte på en passage, der beskrev et bestemt sted, hvor disse skabninger plejede at samles, følte jeg en blanding af begejstring og frygt. Det var et fjerntliggende sted i udkanten af Nightglen, kendt som "Glade of Shadows".

Jeg besluttede, at det var tid til at tage dertil og undersøge det. Måske var Darius der og havde brug for hjælp. Inden jeg tog afsted, efterlod jeg en seddel til Adelaide, der forklarede mine hensigter og lovede at vende tilbage med alle relevante oplysninger.

Jeg gik bestemt hen til Skyggernes Glade. Stedet var indhyllet i en mørk og mystisk atmosfære, og stilheden var næsten håndgribelig.

Da jeg kom dertil, stødte jeg på en usædvanlig scene. Darius stod i midten af lysningen, omgivet af flere af de natlige væsner. De så ud til at være i en slags stille samtale.

Bange, men fast besluttet på at hjælpe, nærmede jeg mig forsigtigt. Da Darius så mig, lyste hans blik op med en blanding af overraskelse og lettelse.

– Elia, hvad laver du her? Det er farligt!

– Jeg var bekymret for dig, Darius. Jeg var nødt til at sikre mig, at han var okay.

Han nikkede taknemmeligt, men så anspændt ud. Væsnerne virkede harmløse, endda nysgerrige efter min tilstedeværelse. Darius vendte sig mod dem og begyndte at hviske på et sprog, jeg ikke kunne forstå.

Det var da, jeg indså, at Darius havde en særlig forbindelse med disse skabninger. Han forstod dem og kunne kommunikere med dem på en eller anden måde.

Efter et stykke tid spredte væsnerne sig langsomt, som om de havde modtaget en vis vejledning. Darius vendte sig mod mig med et alvorligt blik.

— Elia, du skal love mig, at du ikke vil fortælle nogen om, hvad du så her. Disse væsner er en vigtig del af Nightglen og vores mission. Og nu, mere end nogensinde, er vi nødt til at beskytte dem.

Jeg lovede Darius, at jeg ville holde det hemmeligt, og at jeg ville hjælpe ham på den måde, han havde brug for. Han virkede lettet over mit svar.

Sammen vendte vi tilbage til landsbyen, og på vejen begyndte Darius at forklare mig mere om skabningerne og deres rolle i at beskytte Nightglen. Dette var en afgørende del af kampen mod de natlige trusler, og Darius var bindeleddet mellem skabningerne og Skyggetornen.

Fra det øjeblik vidste jeg, at jeg var involveret i noget meget større, end jeg kunne forestille mig. Og hun var fast besluttet på at gøre alt, hvad der skulle til for at beskytte Nightglen og afsløre de hemmeligheder, der omgav hende. Darius og jeg blev allierede på denne rejse, forenet af skæbnen og behovet for at se de skygger, der hang over landsbyen.

Skjulte sandheder

Efter den afslørende samtale med Darius havde jeg nu et nyt spor at følge om de mystiske skabninger, der havde terroriseret Nightglen om natten. Men jeg ville have brug for hjælp til at undersøge nærmere uden at bringe mig selv eller andre i unødig fare.

Og jeg kendte en anden, der måske kunne hjælpe mig...

Næste morgen ankom jeg tidligere end normalt til magiskolen i håb om at møde Lizeth inden undervisningen startede. Til min lettelse fandt jeg hende allerede siddende på en bænk i den åbne gårdhave, opslugt af en bog.

— Godmorgen, Elia! Du virker bekymret... er der sket noget? — spurgte Lizeth, så snart hun så mig.

Jeg sad ved siden af ham og overvejede, hvordan jeg skulle gribe emnet an. Til sidst besluttede jeg mig for at fortælle sandheden. Noget sagde mig, at jeg kunne stole på Lizeth.

Jeg forklarede hende hele situationen: Nattevæsenerne, mine møder med Skyggetornen, søgen efter svar. Lizeth lyttede til alting med et seriøst udtryk og absorberede hvert ord.

– Wow, jeg vidste, du var involveret i noget uhyggeligt! Og du vil have min hjælp til at undersøge, ikke? — konkluderede hun med et glimt af hendes brune øjne.

Jeg bekræftede og forklarede min plan om at prøve at spore og finde ud af mere om de mystiske "tilholdssteder", der angreb landsbyen. Lizeth lyttede opmærksomt og med en antydning af tøven til alt.

— Det virker meget risikabelt... men du virker bestemt, og jeg lader ikke min bedste ven være alene! Fortæl mig, hvad jeg skal gøre.

Jeg smilede, lettet og taknemmelig for hans vilje til at hjælpe mig. Sammen udtænkte vi vores hemmelige efterforskningsplan.

Vi ville starte med at overvåge isolerede steder om natten, i håb om at få øje på nogle af de mystiske væsner, der er rapporteret af vidner. Hvis vi var i stand til at se en, ville jeg bruge sporingsbesværgelser lært af min far til magisk at markere den, så jeg kunne følge den til dens gemmested.

Lizeth holdt vagt på sikker afstand for at sikre, at jeg ikke var i fare. Hun virkede nervøs for tanken om, at jeg ville nærme mig det mulige monster alene, men hun forstod, at det var nødvendigt.

— Er du sikker på, at du ikke vil have, at jeg ringer til Darius eller en anden mere erfaren troldmand til at ledsage dig? — foreslog Lizeth, stadig tøvende.

- Nej, jeg er nødt til at gøre dette uden at advare Rådet eller Skyggetornene. - Jeg forklarede. — Hvis de finder ud af det, vil de gerne tage kontrol over situationen, og jeg kommer aldrig til sandheden.

Lizeth var modvilligt enig. Hun kunne ikke lide at bryde regler eller ulydige sine ældre, i modsætning til mig. Derfor værdsatte jeg din loyalitet og mod endnu mere til at hjælpe mig alligevel.

Vi udarbejder alle detaljer i planen i pauser i løbet af dagen. Den aften, efter middagen, smuttede vi ud af vores huse og befandt os på den centrale plads. Derfra gik vi snigende til en forladt hytte i udkanten af landsbyen, et af de steder, hvor rygterne sagde, at der for nylig havde været observationer.

Vi indtog strategiske overdækkede positioner og begyndte at vente, alle sanser opmærksomme. Men efter timer uden tegn på væsner, blev vi tvunget til at give op og vende frustrerede hjem...

Men vi ville ikke give op så let. Det var kun begyndelsen på vores hemmelige efterforskning.

I løbet af de næste par nætter gentog Lizeth og jeg ritualet og udforskede forskellige steder hver gang. Vi gik altid med hjertet i halsen og hoppede ved den mindste støj i mørket. Heldigvis forblev min far Gareth og resten af rådet fokuseret på deres runder i centrum af landsbyen, så vi kunne gå ubemærket hen i de isolerede områder i udkanten.

På vores femte vagtnat var vi gemt bag nogle knudrede træer og betragtede et gammelt forladt hus på kanten af de sidste ejendomme. Stedet udstrålede en dyster atmosfære, ideel til at huse natlige væsner.

Jeg var allerede begyndt at blive modløs efter timer med ingenting, da jeg hørte Lizeth stønne stille ved siden af mig. Jeg fulgte hans måbende blik hen til et af vinduerne i huset, hvor to sorte skikkelser lige var landet. Mit hjerte stoppede næsten.

De var to humanoide væsner, men med slanke kroppe og ekstremt lange lemmer forvredet på en unaturlig måde. Deres hud så skællet ud og afspejlede et svagt skær i måneskin. Ansigterne havde deforme træk og helt sorte øjne.

Jeg udvekslede et anspændt blik med Lizeth. Det var vores chance! Mens min ven forblev skjult der, dukkede jeg stille op bag træerne og nærmede mig langsomt med tryllestaven i hånden. Jeg mumlede den markeringsbesværgelse, Gareth havde lært mig, i håb om at ramme et af væsenerne.

Men i det øjeblik magiens lys forlod min tryllestav, vendte væsnerne sig mod mig i forskrækkelse og brølede rasende. Det, jeg frygtede mest, skete: Jeg blev opdaget...

Og nu var jeg nødt til at løbe for mit liv!

Jeg vendte mig hurtigt om for at flygte og hørte de rasende skrig fra væsnerne nu bag mig. Mit hjerte hamrede, da jeg løb ad den mørke sti tilbage til landsbyen og prøvede ikke at snuble over trærødderne. Heldigvis kendte jeg godt de omgivelser.

Det lykkedes mig at miste dem ved at tage en bredere cirkel og komme frem nær den centrale plads, hvor jeg vidste, at rådsmedlemmer stadig ville være på jagt. Jeg lagde mig pusende tilbage bag en stor stenfontæne og prøvede at få vejret.

Tilsyneladende vovede disse væsener sig ikke ind på mere travle steder. Men det var meget tæt på... hvis jeg ikke havde kendt en flugtvej, kunne jeg være blevet et let bytte for de forfærdelige, sultne væsner.

Et par minutter senere så jeg Lizeth komme løbende ned ad stien, bleg og pustende. Jeg krammede min veninde, lettet over også at se hende i god behold.

– Det lykkedes dig at flygte! Jeg tænkte det værste, da jeg så de monstre bag dig...

— Heldigvis kender jeg nogle genveje på de stier. Men det var for risikabelt, jeg blev næsten fanget!

Vi blev modvilligt enige om, at vi ikke kunne fortsætte denne undersøgelse alene. Så meget som vi ønskede at løse mysteriet, var situationen simpelthen for farlig for os.

Den nat, efter at have sikret mig, at Lizeth også var kommet sikkert hjem, faldt jeg udmattet i søvn. Mareridt befolket af sorte øjne og ildevarslende hvin lod mig dog ikke rigtig hvile...

Om morgenen ventede mig en svær beslutning. Tiden var inde til at advare Rådet og Skyggetornene om, hvad vi havde opdaget. Så meget som det sårede min stolthed, kunne jeg ikke tie så afgørende information. Livet afhang af det.

Under morgenmaden fortalte jeg Gareth alt og undlod kun, at Lizeth og jeg havde snuset rundt uden tilladelse. Jeg beskrev de mærkelige væsner og vores næsten fatale møde med dem i det forladte hus.

Min far var meget forskrækket. Han sagde, at han straks ville indkalde til et hastemøde i Rådet for at drøfte denne værdifulde nye information.

- Det gjorde du meget godt i at fortælle os, min datter. Disse væsner ser ekstremt farlige ud... det er et mirakel, de slap uden skade!

– Jeg var meget heldig. - Jeg var enig og undgik at se ham i øjnene. - Men nu kan du tage affære, ikke? For at beskytte alle?

– Vi vil gøre vores bedste. — sagde Gareth og rejste sig allerede for at gå. — Måske er vi endelig tættere på at afslutte denne skjulte trussel én gang for alle!

Så snart han skyndte sig væk, løb jeg for at sende en hemmelig besked til Darius via den samme uglebudbringer som før. Jeg var nødt til at advare ham om skabningerne, før Rådet ville undertrykke oplysningerne.

Et par timer senere modtog jeg et svar fra Darius, der arrangerede et hastemøde om aftenen på skolebiblioteket, når det var tomt. Mit hjerte accelererede. Det var tid til at slå kræfterne sammen for at bekæmpe denne fælles fjende.

Om aftenen, efter middagen, sneg jeg mig ud af huset igen, da Gareth havde travlt med papirarbejde. Jeg sneg mig gennem landsbyen til portene til magiskolen. Indenfor fandt jeg Darius, der allerede ventede på mig blandt de støvede hylder.

Uden at spilde tid, delte jeg alt, hvad jeg havde set. Darius lyttede med koncentreret opmærksomhed og stillede specifikke spørgsmål. Jeg bemærkede en ny beslutsomhed i hans øjne, da jeg var færdig med historien.

– Det var godt du ledte efter mig, Elia. Disse væsner er farlige, men sammen kan vi stoppe dem...

Jeg fortalte dem også om Rådets hastemøde, og hvordan de havde tænkt sig at handle på baggrund af de nye oplysninger.

— De vil ikke have, at vi bliver involveret, de vil prøve at tage kontrol over situationen. - Jeg forklarede. — Men vi kan ikke lade denne trussel fortsætte, vi er nødt til at handle!

Darius accepterede stærkt.

— Jeg kender til en ældgammel besværgelse, der er i stand til at forvise disse væsner, men den er meget kompleks og kræver to magtfulde troldmænd, der kaster sammen for at fungere. — afslørede Darius.

- Så skal vi træne vores teamwork. Hvor kan vi øve os uden at blive opdaget?

Darius reflekterede et øjeblik, før han svarede:

— Der er en forladt hytte i udkanten af min families ejendom, det sted kan vi uden afbrydelse bruge til at forberede os.

Vi blev enige om at starte den hemmelige træning næste morgen og udnyttede, at der ikke ville være undervisning. Jeg forlod skolen, så snart klokken slog midnat, hvilket signalerede det nuværende udgangsforbud.

Heldigvis lykkedes det mig at komme hjem uden at passere nogen på de tomme gader. Gareth sov allerede, så jeg hurtigt kunne trække mig tilbage til mit værelse. Jeg skulle være veludhvilet til den udfordrende træningssession, der ligger forude.

Næste morgen tog jeg hjemmefra og sagde, at jeg skulle studere på biblioteket. Jeg skyndte mig hen til hytten på kanten af Shadowthorn-ejendommen, hvor Darius allerede ventede.

Vi brugte timer på at øve denne magi sammen og prøvede at nå det nødvendige niveau af synkronisering. Til at begynde med havde vi vanskeligheder, endda forhindrede vores kræfter i at støde sammen. Men efter en masse hård træning var vi endelig i stand til at udføre fortryllelsen mod simulerede mål.

Vi var allerede svedige og udmattede, da vi stoppede for at hvile lidt. Men en følelse af stolthed og tilfredshed gennemsyrede luften. Vi var klar til at bruge vores nye magt mod den frygtelige fjende i et velrettet baghold.

Nu skulle vi bare vente på det passende tidspunkt for den endelige konfrontation...

I de næste par dage holdt vi vores træning hemmeligt, altid under påskud af, at jeg var på biblioteket og studerede. I mellemtiden organiserede Rådet og Skyggetornen deres egne eftersøgninger og planer for at forsøge at bekæmpe skabningerne baseret på de oplysninger, jeg havde videregivet.

En dag var jeg ved at forlade skolen, da en sort vogn uventet stoppede foran mig. Til min overraskelse kom Adelaide Shadowthorn ud indefra med et alvorligt udtryk i ansigtet.

– Adelaide! Skete der noget?

– Jeg har virkelig brug for at tale med dig, Elia. Kom endelig ind.

På grund af det hastende i hans tonefald gik jeg ind i vognen uden tøven. Indenfor fortalte jeg Adelaide om min hemmelige pagt med Darius for at stoppe skabningerne.

— Jeg forstår, at de bare ville hjælpe, men det er meget risikabelt! Overlad denne kamp til os, børnene har allerede gjort deres del. - sagde Adelaide og holdt mine hænder.

— Men vi trænede hårdt, vi er klar! De kan ikke udelade os!

Adelaide overvejede et par øjeblikke, inden hun svarede:

— Måske kan vi nå til enighed... kom med mig.

Uden yderligere forklaring beordrede hun vognen til at fortsætte til Shadowthorn-palæet. Der forklarede han situationen for de andre og foreslog, at vi gik sammen.

Efter intens debat gik de modvilligt med til at lade os deltage, så længe vi hele tiden forblev under opsyn af et mere erfarent medlem. Det var bedre end at blive helt udelukket fra den sidste kamp.

Jeg gik derfra opstemt. Snart ville vi sætte vores plan i værk. Og denne gang var vi parate til at møde fjenden frontalt, uden flere flugter eller hemmeligheder.

Den aften samlede jeg Rådet og Skyggetornene for at skitsere vores strategi. Sammen ville vi sikre Nightglens sikkerhed igen.

Og denne gang havde jeg chancen for at kæmpe side om side med Darius, som hans ligemand. Vores forbindelse voksede hver dag, og snart ville den være ubrydelig...

Mødet for at skitsere strategien for at angribe skabningerne varede til langt ud på natten. Vi kortlægger alle nylige observationer for at identificere mulige jagtmønstre og territorier.

Planen var at stå vagt ved de to forladte huse, hvor de var blevet set af Lizeth og mig, i håb om at overraske dem i endnu et angreb. Da de dukkede op, ville Darius og jeg bruge vores kombinerede besværgelse til at forvise væsenerne tilbage i mørket.

De andre medlemmer af Rådet og Shadowthorn-familien ville være på standby, hvis noget skulle gå galt. Som Adelaide havde beordret, ville Lizeth og jeg forblive under opsyn indtil det afgørende øjeblik for konfrontationen.

Den aften, der var planlagt til bagholdet, indtog vi alle strategiske positioner, der dækkede de to sandsynlige steder for væsnernes udseende. Spændingen i luften var til at tage og føle på, mens vi ventede i spændt vagt.

Indtil der i det fjerne genlyde et ujordisk hyl i mørket og fik vores hår til at rejse sig. Det var tegnet på, at fjenden var blevet set nærme sig! Jeg løb hurtigt med Darius for at få os i position.

Vi så snart mindst seks af disse forfærdelige væsener komme ud af natten, sultne og rasende. Men denne gang var vi klar til dem. Med en udveksling af blikke begyndte Darius og jeg den kraftfulde besværgelse.

Vores magi flettet sammen som gyldne tråde og voksede i intensitet, så de opsluger hele rummet. Væsenerne brølede i smerte og had, da de blev forvist tilbage til mørkets plan.

Da det blændende lys forsvandt, var der ikke andet tilbage end et par bunker af ulmende aske, hvor skyggevæsnerne engang havde stået. Vi havde vundet!

Jeg krammede Darius, overvældet af sejrens eufori og lettelse. Sammen havde vi reddet Nightglen endnu en gang. Og vores bånd var nu uforgængeligt.

Tilbage på Shadowthorn-palæet bød Adelaide endda imod os med et sjældent og stolt smil.

— Jeg vidste, at de var bestemt til store ting! Castelbruxo har en ny generation af helte, der beskytter den nu...

Jeg udvekslede et vidende blik med Darius. Vores arbejde som landsbyens vogtere var knap begyndt.

Sejren over skyggevæsnerne markerede begyndelsen på en ny æra for Nightglen. Darius og jeg blev nu anerkendt som helte, og vores venskab voksede til et stærkt partnerskab.

Sammen med de andre medlemmer af Rådet og Skyggetornen begyndte vi at arbejde hårdt for at styrke landsbyens forsvar og forhindre fremtidige trusler. Vi studerede beskyttelsesbesværgelser, trænede flittigt og holdt vores sanser altid opmærksomme.

Lizeth fandt til gengæld også sin rolle i kampen mod mørket. Med sin intelligens og strategiske evne blev hun en fundamental spiller i vores gruppe.

Som dagene gik, blev vores team mere og mere sammenhængende. Rådet og Skyggetornen stolede på vores evner og inkluderede os i alle vigtige beslutninger.

Mit bånd til Darius blev stærkere for hver dag. Vores samlede kræfter var formidable, og sammen var vi ustoppelige. Under træningen var vores forhold næsten til at tage og føle på, og vi vidste præcis, hvad den anden tænkte.

Desuden delte vi øjeblikke med afslapning og latter. Vi opdagede, at vi havde meget til fælles, lige fra musiksmag til yndlingsbøger. Det var utroligt, hvordan vores verdener passede så perfekt sammen.

Midt i udfordringerne og farerne voksede vores venskab til noget dybere. Darius var min sikre havn, den støtte jeg havde brug for i svære tider.

Nogle gange tog vi os selv i at udveksle intense blikke, fulde af mening. Vi vidste, at der var noget særligt mellem os, noget der gik ud over venskab og partnerskab i kampen mod det onde.

Indtil, en stjerneklar nat, efter endnu en vellykket patrulje gennem landsbyen, mens vi var alene på den centrale plads, holdt Darius forsigtigt min hånd og så mig ind i øjnene.

- Elia, lige siden vi kom sammen for at beskytte Nightglen, har jeg følt noget meget dybere. Det er ikke bare en magisk forbindelse, det er noget, der går ud over det. JEG...

Han blev afbrudt af en uventet lyd: en blid latter, der kom bag træerne. Lizeth dukkede op, med et drilsk smil på læben.

– Undskyld, jeg kunne ikke lade være. Men det tog for lang tid, I to! – sagde hun og lo.

Vi var flove, men Lizeth beroligede os.

– Se, jeg har altid vidst, at I to havde noget særligt. Det er tydeligt for enhver, der kigger. Og jeg ville bare sige, at jeg er glad på din vegne.

Vi krammer Lizeth og takker hende for hendes forståelse og støtte. Hun var virkelig en utrolig ven.

Darius og jeg så på hinanden igen uden at have brug for ord for at forstå, hvad vi følte. Vi kom tættere på, og den nat under stjernerne længtes vores læber efter at mødes i et sødt og lovende kys, men min generthed fik mig til at trække mig tilbage og kvæle følelsen.

Fra det øjeblik blev vores rejse endnu mere meningsfuld. Vi var ikke kun ledsagere i kampen mod det onde, vi var også to unge mennesker, der var forelskede i hinanden.

Sammen stod vi over for større udfordringer og blev endnu mere formidable som et team. Landsbyen trivedes under vores beskyttelse, og NightGlen var stolt over at have så dedikerede helte.

Og så blev historien om Elia og Darius, om kærlighed og mod, en del af legenden om Nightglen, der inspirerede fremtidige generationer til at tro på kraften i enhed og beslutsomhed.

Og sammen med Darius vidste jeg, at jeg kunne klare enhver udfordring, der kom min vej. Forenet af magi og kærlighed var vi ustoppelige. Og sammen skriver vi et nyt kapitel i historien om Nightglen.

Det årlige bal

Efter den glorværdige sejr mod mørkets skabninger blev Darius og jeg helte og eksempler for hele magiskolen. Selv det reserverede Råd begyndte at vise større påskønnelse af os.

Der blev arrangeret en kæmpe fest i skolens hovedsal. For første gang var jeg centrum for opmærksomheden og ikke den mærkelige nytilkomne.

– Din strålende besværgelse! Jeg håber, du fortsætter med at bruge dine gaver til gavn for Nightglen. — sagde professor Horacio og løftede et glas.

Alle klappede og hilste på os. Jeg udvekslede et genert blik med Darius. Vi var stadig ikke vant til så mange komplimenter.

Indtil direktør Atheneu bad om tavshed og meddelte:

— For yderligere at fejre lysets sejr får skolens Årsbal i år en helt særlig betydning...

Ophidsede mumlen løb blandt eleverne. Det årlige bal var årets mest ventede begivenhed, en chance for at vise vores bedste formelle påklædning og kunstneriske talenter.

– Jeg er sikker på at frk. Elia og unge Darius vil skinne som værter for denne festligheder. Jeg venter på alle der! — afsluttede direktøren.

Jeg slugte hårdt. Bal værter? Det var uden for min komfortzone...

Men Darius så ud til at elske ideen og smilede entusiastisk. Og jeg kunne ikke skuffe ham...

Forberedelserne begyndte til det, der lovede at blive det mest mindeværdige årsbal af alle!

I dagene op til arrangementet summede hele skolen af planer og øvelser. Musiklærerne forberedte særlige forestillinger, mens magikunstlæreren overvågede udsmykningen af hovedsalen med smukke svævende arrangementer af blomster og stearinlys.

Jeg var meget spændt på udsigten til at åbne den dans sammen med Darius. Jeg var aldrig særlig dygtig til at danse eller musik, jeg foretrak altid diskretion frem for rampelyset.

Lizeth bemærkede min nervøsitet og forsøgte at berolige mig:

– Du skal nok klare dig, Elia! Du er øjeblikkets heltinde, alle vil elske dig!

— Problemet er ikke opmærksomhed... hvad nu hvis jeg snubler eller glemmer mine skridt foran alle?

— Jeg er sikker på, at Darius vil vejlede dig meget godt. Bare nyd natten!

Hun havde ret. Med Darius ved min side ville alt være godt. Jeg reserverede de foregående dage til at træne diskret på mit værelse for at undgå forlegenhed.

På balaftenen gjorde jeg mig klar i den smukke mosgrønne kjole med sølvdetaljer, som Adelaide havde givet mig i gave. Mit hjerte slog et slag over, da Darius, der så meget elegant ud, kom for at eskortere mig.

- Du ser godt ud! - hviskede han og kyssede min hånd.

Rødmede tog jeg imod hans arm og vi gik til dansen, hvor vi blev budt velkommen med klap og fløjten. Jeg tog en dyb indånding. Det ville være en uforglemmelig aften!

Vi åbnede dansene, og til min lettelse gik alt godt. Forbindelsen mellem os syntes at styre vores skridt uden besvær. Til sidst modtog vi et stormende bifald.

Resten af festen var ren magi. For første gang følte jeg virkelig, at jeg var en del af noget og hørte til på den skole, som om jeg endelig var hjemme.

Efter officielt at åbne dansen med Darius, kunne vi endelig slappe af og nyde festen som to almindelige unge mennesker, uden pres eller pligter. Det var en vidunderlig følelse.

Mens vi nød den lækre magiske punch, der lavede flerfarvede bobler, så vi vores kolleger danse begejstret til lyden af bandet, der var hyret til at sætte liv i natten.

Selv Lizeth, altid så genert, havde fundet en partner og snurrede nu smilende rundt på dansegulvet. Jeg var glad for at se hende også have det sjovt på den særlige aften. Hun ville helt sikkert rokke ved det, når det blev hendes tur til at åbne Ballen året efter.

På et tidspunkt begyndte en langsommere sang at spille. Darius rakte sin hånd til mig med en bue:

— Vil du give mig denne dans?

- Glad for. - svarede jeg rødmende og accepterede.

Vi sluttede os til de andre par, der allerede hvirvlede rundt i det rigt dekorerede rum og holdt om hinanden. I slutningen af sangen lænede Darius sig ind til et blødt kys på mine læber. Det var som magi, et perfekt øjeblik, som jeg vil huske for evigt.

Festaftenen sluttede hurtigt, og før vi vidste af det, var det tid til at tage hjem. Da vi gik tilbage hånd i hånd, kommenterede Darius smilende:

— Det var det bedste Årsbal nogensinde! Jeg kan ikke vente til den næste... og til alle vi stadig har sammen foran os.

Jeg smilede også strålende. Den nat markerede et nyt kapitel i vores liv, fuld af håb og muligheder.

Sammen ville Darius og jeg opleve store eventyr og også skabe nye traditioner i Nightglen. Vores fremtid var lige så lys som fuldmånen, der oplyste os den magiske nat.

I dagene efter det årlige bal syntes en atmosfære af optimisme og håb at svæve over hele skolen og landsbyen. Det var, som om en mørk sky endelig havde løftet sig, så vi kunne få et glimt af alt det potentiale og den glæde, der fandtes i vores samfund.

Selv de mest sure og krævende lærere som Mr. Colebrook virkede mere velvillige, idet de tog færre point for fjollede overtrædelser og roste endda elever, han tidligere kun kritiserede.

Darius og jeg blev ofte stoppet af kolleger på gangene eller i gårdene, der ville diskutere vores heroiske eventyr. Nogle bad endda om tips til, hvordan man bliver troldmænd lige så magtfulde som os en dag.

- Jeg tror faktisk, at vores styrke kommer fra teamwork. Alle har noget unikt at bidrage med. — Jeg forklarede en gruppe unge mennesker.

Darius var enig og understregede vigtigheden af at dyrke vores kvaliteter frem for at konkurrere. Vi ønskede at være positive eksempler for denne nye generation.

Selv Orion, altid så hånende, syntes at behandle mig med mere høflighed og respekt siden sin sejr mod skyggevæsnerne. Han hilste endda på mig en dag i haven til hans families palæ, da jeg forlod en studietime med Adelaide.

– Jeg kan se, du har det godt, Elia. - sagde han i forbifarten. - Måske har han arvet mere af skyggetornsblodet, end vi troede...

Sameksistens med Skyggetornen er blevet mere venlig siden vores sejr. Især Adelaide og Orion viste større respekt for mig og Darius. Det var, som om fagforeningen for at beskytte landsbyen havde skabt bånd, der tidligere syntes umulige.

En solrig eftermiddag, mens jeg studerede på biblioteket, henvendte Adelaide sig til mig med et oprigtigt smil.

— Elia, jeg vil gerne takke dig for alt, hvad du gjorde for os og for Nightglen. Vi er meget taknemmelige.

Jeg var overrasket, men takkede for din overvejelse. Det var trøstende at vide, at vores sammenhold var med til at bringe familier sammen og styrke landsbyen.

Darius og jeg fortsætter med at træne og finpudse vores kræfter sammen. Hver sejr gjorde os mere selvsikre, og de udfordringer, vi stod over for, bragte os endnu tættere sammen.

Desuden voksede vores følelser for hinanden hver dag. Vi var tættere end nogensinde før og delte drømme, frygt og forhåbninger. Jeg vidste, at jeg havde fundet min sande kærlighed i Darius.

En dag, da vi gik gennem skolens område, holdt han ømt min hånd og sagde:

- Elia, siden vi kom sammen for at beskytte Nightglen, har mit liv fået et nyt formål. Og det er på grund af dig.

Jeg blev rørt over hans ord og krammede ham kærligt.

— Du bragte også lys til mit liv, Darius. Sammen er vi ustoppelige.

I det øjeblik indså jeg, at jeg var klar til at dele mit liv med Darius på en endnu dybere måde. Og det var med stor glæde, jeg troede, at jeg accepterede, da hans øjne formelt bad mig om at være hans kæreste.

En hvirvelvind af tanker gik gennem mit hoved: med vores forældres velsignelse og vores venners godkendelse, hvis Darius vil, vil vi starte dette nye kapitel sammen. Og det var, som om universet konspirerede til vores fordel, da alt så ud til at falde på plads perfekt.

Dage blev til uger og uger til måneder. Vores kærlighed voksede med hvert øjeblik, hvilket gjorde os stærkere og mere selvsikre, ikke kun som individer, men som et par forenet af skæbnen.

En solrig eftermiddag tog Darius mig en tur på landet, væk fra skolens og landsbyens nysgerrige øjne. Vi fandt en idyllisk ramme med vilde blomster og en fredelig strøm.

Der knælede Darius foran mig med en lille æske.

- Elia, siden vi mødtes, har mit liv ændret sig på måder, jeg aldrig kunne have forestillet mig. Du er mit lys, min sikre havn. Og i dag, her, på dette særlige sted, vil jeg stille dig et spørgsmål...

Med tårer i øjnene accepterede jeg den anmodning, han tilbød mig. Det var et øjeblik af ren magi, et symbol på vores kærlighed og engagement i hinanden.

Nyheden om vores frieri spredte sig hurtigt, og den glæde, vi følte, smittede. Skolen og hele landsbyen fejrede med os og viste støtte, der fyldte os med taknemmelighed.

I de efterfølgende måneder optog forberedelserne til den officielle middag, der annoncerer vores forhold, vores dage. Skolen gik sammen for at arrangere en ceremoni, der er et eventyr værdig, hvor læreren i magikunst tog sig af dekorationerne, og professor Horácio øvede en særlig sang til lejligheden.

Lizeth og andre venner sluttede sig til os som faddere, og sammen planlagde vi hver detalje med omhu og dedikation. Det var en fejring af ikke kun vores kærlighed, men også sammenkomsten af Nightglen som et forenet fællesskab.

Og endelig kom den store dag. Under en stjernehimmel, omgivet af familie og venner, udvekslede Darius og jeg vores løfter om evig kærlighed. Glimtet i hans øjne, da han så på mig, var et bevis på, at vi var på rette vej.

Festen, der fulgte, var en eksplosion af glæde og lykke. Vi dansede, grinede og fejrede livet og kærligheden, der forenede os.

Som natten led, så jeg på Darius og smilede. Jeg vidste, at vi var klar til at møde enhver udfordring i fremtiden, fordi vi var sammen.

Og så begyndte vi vores rejse som kærester, klar til at møde hvad der end kom vores vej. Forenet af Nightglen-samfundets magi, kærlighed og styrke vidste vi, at vi var ustoppelige. Og sammen ville vi skrive en historie om kærlighed og mod, der ville vare evigt.

Træningen

Efter begivenhederne i det årlige bal og annonceringen af mit forhold til Darius, så livet ud til at være kommet tilbage på sporet i Nightglen. Men jeg vidste, at jeg ikke kunne svigte min vagt. Der var stadig meget at lære, hvis jeg ville være forberedt på fremtidige udfordringer.

Derfor genoptog jeg min hemmelige træning med Vladimir i Skovtårnet. Selv efter alt, hvad vi havde været igennem, insisterede han på, at jeg stadig skulle perfektionere min beherskelse af de mest avancerede besværgelser og eliksirer.

— Det onde kan vende tilbage til enhver tid, i enhver form. - advarede han en gang. — Du skal være klar, før mørket stiger op igen, unge Elia.

Og så gik ugerne mellem normale timer i skolen, min tid med Darius og de opslidende træningssessioner med Vladimir. Jeg ville vende hjem udmattet, men tilfreds med mine konstante fremskridt.

En dag, da jeg allerede mestrede mere komplekse angrebs- og forsvarsbesværgelser, besluttede jeg at prøve at udføre en kraftfuld illusionsbesværgelse, selv uden at Vladimir havde spurgt. Til min overraskelse lykkedes det mig realistisk at fremtrylle en flok sultne sorte ulve, der brølede og omgav Vladimir på alle sider.

Han måtte ty til en modstavelse for at fjerne illusionerne, og selv da tog det ham et par sekunder at forstå, hvad der var sket. Så kiggede han på mig med et bredt smil:

— Fremragende, Elia! Din beherskelse af illusionsbesværgelser vil snart konkurrere med de største mestre, jeg har kendt. Dine fremskridt har været bemærkelsesværdige.

Hun smilede, stolt over sin sjældne kompliment. Jeg kunne ikke vente med at omsætte alt, hvad jeg lærte, i praksis for at forsvare Nightglen mod enhver ny trussel. Og denne gang ville jeg virkelig være forberedt på udfordringen.

At mestre avancerede angrebs- og forsvarsbesværgelser var dog ikke alt. Vladimir trænede mig også i andre væsentlige færdigheder for at kunne møde mørkets kræfter, såsom helbredende eliksirer, fjerne forbandelser, bryde onde besværgelser og hovedsageligt okkumulation.

— Du skal beskytte dit sind mod ydre påvirkninger. — forklarede han engang. — Der er dem, der bruger tankelæsning og vil kontrollere for at ødelægge selv de ædleste hjerter.

Og så øvede jeg mig hver dag på at blokere mit sind fra Vladimirs forsøg på at få adgang til mine tanker og minder. I starten var han i stand til nemt at omgå mine skrøbelige mentale barrierer. Men med tiden begyndte jeg at gøre modstand i længere tid, indtil jeg helt var i stand til at afvise hans fremskridt.

En anden færdighed, jeg skulle udvikle, var evnen til at skelne illusioner og forklædninger skabt af sort magi. Vladimir lærte mig besværgelser til at afsløre den sande kerne af ting og mennesker, bag de vildledende slør vævet af mørke.

Dette ville vise sig at være afgørende for at afsløre onde tjenere, der forsøgte at gemme sig bag falske udseende for at infiltrere Nightglen. Takket være træning med Vladimir ville jeg være forberedt, når den dag kom.

Og dagene gik virkelig hurtigt mellem alle studierne, træningen og også de måneskinne gåture med Darius, når vi havde fri. Nogle gange deltog vi i festlighederne i landsbyen, andre gange gik vi bare rundt og holdt om hinanden og talte om vores drømme og håb.

Kærligheden mellem os så ud til at vokse mere for hver dag, da vi stod over for udfordringerne undervejs sammen. Et blik var nok til at vide, hvad den anden tænkte eller følte. Vores forbindelse gik ud over det fysiske eller rationelle...

Vores forbindelse var som en tråd af magi, der forenede os på en dyb og uforklarlig måde. Med Darius ved min side følte jeg mig uovervindelig, klar til at møde enhver udfordring, skæbnen havde i vente for os.

Som månederne gik, trivedes Nightglen. Landsbyen var mere forenet end nogensinde, og trylleskolen var blevet et sandt hjem for os alle. Atmosfæren var præget af optimisme og håb, og jeg vidste, at vi var klar til at møde enhver trussel, der kom vores vej.

Rygtet om vores fagforening og vores træning med Vladimir spredte sig, og snart blev vi set som Nightglens vogtere. Folk så på os med respekt og beundring, og jeg følte mig beæret over at kunne beskytte dem, jeg elskede.

Men på trods af den tilsyneladende ro, vidste jeg, at ondskaben stadig kunne gemme sig i skyggerne, lurende og vente på det rigtige øjeblik at angribe. Derfor fortsatte jeg med at forberede mig, forbedre mine kræfter og styrke mit sind mod enhver ond påvirkning.

En stjerneklar nat, da jeg gik gennem skolens område med Darius, så jeg op mod himlen og følte en blanding af taknemmelighed og beslutsomhed. Hun var klar til at møde hvad der end kom, sammen med den mand, hun elskede.

– Sammen vil vi være ustoppelige, Darius. — sagde hun og så ham med selvtillid i øjnene.

Han smilede og holdt kærligt min hånd.

— Ligesom stjernerne på himlen, vil vor kærlighed lyse evigt, Elia. Intet kan slette det.

Og den nat, under tæppet af blinkende stjerner, mærkede jeg en ny bølge af energi og beslutsomhed skylle ind over mig. Jeg vidste, at vi var klar til at møde enhver udfordring, bevæbnet med kærlighed, magi og styrken i vores forening.

Dagene fortsatte med at gå, og landsbyen Nightglen blev et sandt oase af lys og håb. Vi var et forenet samfund, klar til at beskytte alt, hvad vi elskede.

Og så fortsætter Darius og jeg sammen, og går fremtiden i møde med mod og beslutsomhed. Forenet af magi og kærlighed vidste vi, at vi var i stand til at overvinde enhver forhindring.

Og så fortsatte vores rejse, fuld af eventyr, udfordringer og øjeblikke af ren magi. Sammen ville vi stå over for den skæbne, som havde i vente for os, med vished om, at vores forening var vores største styrke. Og så skrev vi vores egen historie, en historie om kærlighed og mod, der ville genlyde gennem tiderne, som et lys, der aldrig slukker.

Nyt liv i Nightglen

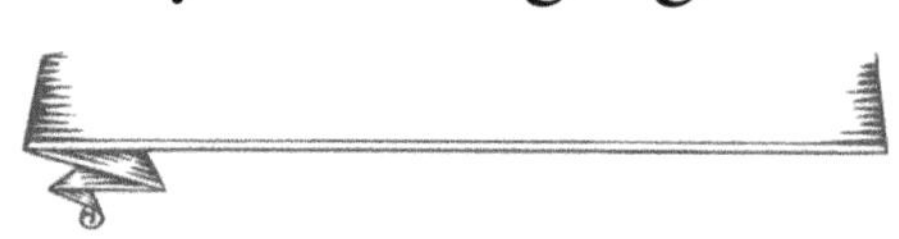

Der gik nogle år i Nightglen... Og et nyt liv i denne landsby var alt, hvad jeg ikke forventede at finde.

En forårsmorgen, da solens stråler krydsede mit soveværelsesvindue og vækkede mig tidligere end normalt. Men det gad jeg ikke, da det lovede at blive en af mine yndlingsmorgener siden jeg flyttede til Nightglen. I dag skulle Darius og jeg til en picnic på landet i udkanten af landsbyen og udnyttede det milde, solrige vejr, en sjældenhed i denne normalt overskyede og stormfulde region.

Jeg rejste mig spændt op og spiste en hurtig morgenmad, inden jeg gjorde mig klar. Jeg brugte mere tid end normalt på at vælge en smuk, behagelig kjole og arrangere mit lange hår med omhu. Jeg ville se perfekt ud til dette specielle øjeblik med Darius. Jeg lagde de lækkerier, jeg havde tilberedt aftenen før, i kurven, sandwich, søde tærter, juice og en flaske med den bedste vin fra min fars kælder. Darius ville hente mig når som helst i sin vogn, så vi kunne gå.

Jeg kunne næsten ikke rumme angsten og glæden, der flød over i mig, mens jeg ventede spændt siddende i stuen og lyttede opmærksomt over urets tikken efter enhver lyd af nærgående hestehove. Til sidst, efter hvad der virkede som en evighed, hørte jeg den tydelige klirren fra Darius' vogn, der stoppede foran huset.

Jeg sprang op, løb hen til døren og vinkede langvejs fra, så snart jeg så Darius komme ned elegant klædt i stramme sorte bukser, en hvid flæseskjorte og en rigt broderet bordeaux frakke. Han vinkede tilbage, hans smil blændede som selve sollys. Jeg skyndte mig ned ad trappen og var næsten ikke i stand til at dæmme ophidselsen.

Darius tog mine hænder og kyssede dem blidt, før han med sin fløjlsbløde stemme sagde: "Min kære, du er helt strålende her til morgen. Klar til vores picnic på landet?" Jeg var stærkt enig og blev hurtigt ført af ham til vognen. Da vi først var inde, drog vi spændt til en blomsterfyldt lysning i udkanten af landsbyen, hvor vi planlagde at bruge et par timer på at nyde hinandens selskab og naturens vidundere.

Så snart vi ankom, læssede vi alt af og lagde en smuk ternet dug ud under kølig skygge af et majestætisk egetræ. Derefter tager vi maden og drikkevarerne op af kurven og skåler glad for vores kærlighed, før vi nyder måltidet tilberedt med så megen omhu og forventning.

Mens vi spiste og drak, talte vi afslappet om vores drømme og planer, udvekslede løfter og grinede af hinandens vittigheder. Darius havde aldrig før virket så let og glad, ubesværet af de mørke pligter, der havde plaget ham tidligere. Der var vi bare to forelskede unge mennesker, fri til at nyde vores selskab og ungdom under den milde brise og fuglesang den perfekte forårsmorgen.

Efter den rigelige picnic lå vi krammet på håndklædet, bare skimte og så på de nysgerrige former af skyerne, der passerede over os. Intet i verden kunne forbedre det øjeblik.

Desværre, da alle gode ting er kortvarige, sluttede vores idylliske eftermiddag snart. Solen begyndte at gå ned over horisonten, da vi endelig, modvilligt, besluttede, at det var tid til at tage afsted.

Vi begyndte at lægge de spredte genstande væk, og passede på ikke at efterlade spor af vores passage. Vi ønskede at bevare den uberørte skønhed på det specielle sted.

Da vi skulle ind i vognen, holdt Darius forsigtigt min arm, så jeg vendte tilbage. Hans ansigt var nu alvorligt og højtideligt. Forvirret kiggede jeg ind i hans mystiske blå øjne og ledte efter et fingerpeg om, hvad der foregik.

Det var dengang, at Darius, til min fuldstændige forbavselse, sænkede sig ned på det ene knæ og fjernede en lille sort fløjlsæske fra sin frakke og åbnede den for at afsløre en udsøgt ring med en violet sten, der strålede storslået i aftenlyset.

— Min elskede Elia... ikke al den magi, Vladimir lærte i disse år, ville være i stand til at udtrykke intensiteten af det, jeg føler for dig inde i mit bryst. Jeg vil gerne have hende ved min side hver morgen, når jeg vågner og hver nat inden jeg skal sove, i alle de år, jeg har tilbage. Vil du være så venlig at acceptere at blive min kone?

Tårer af lykke strømmede frem i mine øjne ved at høre de søde ord, som jeg aldrig havde forestillet mig ville komme fra en som Darius. På en impuls knælede jeg også ned og krammede ham hårdt og hviskede følelsesmæssigt i hans øre:

— Ja... tusinde gange ja, min elskede! Du er alt, hvad jeg nogensinde har drømt om, og jeg kan næsten ikke fatte, at du vil dele dit liv med mig. Det er som en drøm, der går i opfyldelse!

Vi kyssede lidenskabeligt, før Darius forsigtigt lagde ringen på min finger. Det var perfekt, som om det altid havde været bestemt til mig. Så gik vi tilbage til vognen, ikke længere kun kærester, men nygifte, der skulle begynde en ny fase i vores liv.

Mit hjerte var fyldt med glæde og håb under hjemrejsen. Endelig, efter så mange udfordringer, havde vores kærlighed sejret, og ingen skygge kunne ryste den lykke, jeg følte i det øjeblik.

Jeg kunne næsten ikke rumme min begejstring, da Darius satte mig af derhjemme efter frieriet. Vi blev enige om at fortælle vores familier nyhederne ved middagen, der allerede var planlagt til to dage senere på Shadowthorn-palæet. Indtil da ville vi holde på den lækre hemmelighed.

I de næste to dage indtil aftensmaden måtte jeg skjule mit fjollede smil og drømmende blik så meget som muligt for at undgå at vække Gareths for tidlige mistanke. Jeg opfandt undskyldningen for bare at være stolt af mine fremskridt i studierne for at retfærdiggøre min åbenlyse lykke.

Endelig kom den længe ventede nat. Jeg klædte mig til nine og satte en smuk smaragd-halskæde på, der passede perfekt til min forlovelsesring. Darius kom for at hente mig, og sammen kørte vi i en vogn til hans families imponerende palæ.

Indenfor ventede Adelaide og Vladimir allerede på os med en rig og sofistikeret aftensmad forberedt. Vi blev budt hjerteligt velkommen og sad ved et bord pyntet med et udsøgt porcelænssæt, som var bragt specielt fra Frankrig til lejligheden.

Efter at alle havde forkælet sig selv med de forskellige lækkerier og stemningen var afslappet, rejste Darius sig og rømmede for at vække opmærksomhed. Hvert hoved ved bordet vendte sig nysgerrigt mod os to.

Så med et bredt smil annoncerede Darius den længe ventede nyhed:

— Kære familiemedlemmer, jeg har den store fornøjelse og ære at dele med jer, at den vidunderlige frøken Elia har sagt ja til at gifte sig med mig! Vi er forlovet!

Der var en eksplosion af lykke og lykønskninger. Vladimir klappede stolt Darius på ryggen, mens Adelaide fældede tårer af følelser og klemte mine hænder. Selv den sure Orion virkede oprigtigt glad for nyheden.

Resten af middagen foregik i en atmosfære af fest og planer for fremtiden. Der ville blive holdt et overdådigt bryllup, der inviterede vigtige troldmænd fra hele regionen. Og denne forening ville én gang for alle forsegle Skyggetornens forløsning og accept blandt det lokale magiske samfund.

Endelig, efter så mange prøvelser, havde vores kærlighed fuldt ud sejret. Og vi kunne ikke vente med at starte dette nye og lovende kapitel i vores liv, nu som mand og kone. Fremtiden har aldrig set så lys ud.

Forberedelserne til brylluppet begyndte uden forsinkelse. Adelaide og Vladimir overvågede hver eneste detalje for at sikre, at det var en virkelig mindeværdig og magisk lejlighed. Skyggetorns palæs store sal var rigt udsmykket med smukke hvide blomsterarrangementer og svævelys. En gruppe skovnymfer blev hyret til at levere fortryllet ambient musik. Menuen ville være en fest for kongelige, med udsøgte og sjældne retter bragt fra alle hjørner.

Der blev sendt invitationer til de vigtigste troldmandsfamilier i hele regionen, der advarede om den ærefulde forening mellem arvingerne fra Gareth- og Shadowthorn-klanerne. Adelaide sparede ingen anstrengelser for at gøre brylluppet til århundredets begivenhed blandt det magiske samfund.

Jeg kunne næsten ikke rumme nogen bruds normale angst og nervøsitet. Jeg brugte endeløse timer på at prøve at vælge den perfekte kjole og frisure med Lizeths hjælp. Jeg ville se helt fantastisk ud på dagen for at imponere ikke kun Darius, men alle de fornemme gæster.

På trods af al pomp og formalitet i forberedelserne, kunne jeg inderst inde kun tænke på den spændende udsigt til endelig at slutte krop og sjæl til den, der ejede mit hjerte. De løfter, vi ville udveksle, og vores første vals som mand og kone var de øjeblikke, jeg virkelig så frem til at opleve.

Endelig, efter hvad der virkede som en evighed af venten, oprandt den længe ventede bryllupsdag. Fra de tidlige timer overtog en summen af aktivitet Shadowthorn Manor, hvor tjenere løb frem og tilbage for at sikre, at hver detalje var perfekt.

På mit værelse hjalp Lizeth mig med min udførlige frisure, makeup og fantastiske hvide kjole besat med ædelsten. Da jeg så mig selv i spejlet, genkendte jeg knap nok den strålende brud, der reflekteredes i det. Jeg var klar til det øjeblik, der ville definere resten af mit liv med den mand, jeg elskede.

Da tiden endelig kom, og jeg gik ned ad den imponerende trappe i palæet arm i arm med Gareth, måtte jeg dæmme op for trangen til at løbe ned ad den røde løber, hvor Darius ventede på mig ved det blomsterfyldte alter. Hans blik af beundring og lykke, da han så mig, var den bedste gave, jeg kunne have modtaget på den særlige dag.

Brylluppet gik som en drøm. Alle gæster havde kun øjne for den smukke brud, da hun yndefuldt svævede hen over den røde løber mod løfterne, der ville ændre hendes liv. Ingen lagde mærke til de mørke skyer, der samlede sig på himlen udenfor, før den første torden buldrede.

Pludselig rystede et højt brag hele godset, hvilket fik krystallysekronerne til at klirre. Skrig fra gæsterne lød, da dørene til salen blev kastet voldsomt op af et iskoldt vindstød. Derefter materialiseredes en sort tåge indeni, der tog form af et fæle væsen med kløer og flammende øjne.

Det var Lord Damus, mørkets frygtelige tjener, som vi troede forvist! Han smed Darius og Vladimir væk med en gestus og lo ondt:

– Troede du, du havde set det sidste af mig? For mørket er vendt tilbage, og denne gang kan ingen forhindre det i at sluge dette land!

Et skrig af kollektiv rædsel lød gennem salen. Gæsterne gik i panik og løb i alle retninger. Da Darius og Vladimir rejste sig fortumlet, styrtede Lord Damus mod mig med kløerne ude, hungrede efter hævn.

Jeg nåede knap at løfte min tryllestav, før han greb mig i halsen, og hans øjne blinkede farligt, mens han stirrede på mig.

— Denne gang har jeg en værdifuld lokkemad for at garantere mørkets sejr...

Og han forsvandt med mig, før nogen nåede at reagere, og efterlod kun min buket blomster, et tegn på, at den forening, jeg havde drømt om, ikke ville gå i opfyldelse på den mørke dag. Mørket var vendt tilbage for at gøre krav på, hvad de ønskede...

Mørkets tilbagevenden

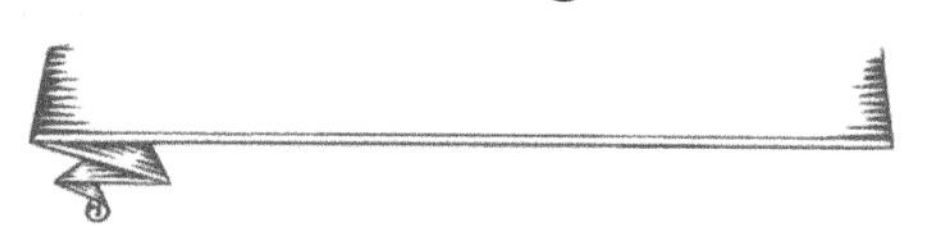

Da Lord Damus trak mig ind i en sort portal, kunne jeg høre Darius' desperate skrig i baggrunden. Men det var for sent, mørket havde allerede opslugt os fuldstændig, og alle lydene i balsalen forsvandt, afløst af en dødstilhed.

Da den sorte tåge lettede, befandt jeg mig i en klippehule, der var svagt oplyst af fakler fastgjort til de fugtige vægge. Knogler og kæder spredte snavsgulvet. Lord Damus løslod mig endelig og skubbede mig mod væggen.

— Velkommen til mit ydmyge hjem, heks. Du vil være en æret gæst, indtil dine venner kommer og tigger om dit liv... så vil jeg kræve, at du overgiver dette land til mørke én gang for alle!

Jeg forsøgte at skjule min frygt og se den trodsigt i øjnene:

— De ville aldrig give efter for dig, monster! Så snart de finder ud af, hvor vi er, vil de gøre dig færdig igen!

Lord Damus udstødte et grin, der gav genlyd i hele hulen.

— Denne gang er jeg forberedt på dem. Jeg regnede med arrogancen af, at de troede, at mit rædselsregime var forbi... nu er det for sent at stoppe mig!

Han løftede sine hænder og reciterede ord i et modbydeligt sprog. Bøjler dukkede op på gulvet og bandt mine ankler og håndled. Jeg faldt på knæ, ude af stand til at bevæge mig.

— Jeg kan ikke vente med at se håbet dø i deres øjne, når de opdager, at de er magtesløse til at redde hende denne gang... - hvæsede Lord Damus, før han efterlod mig alene i skyggen.

Tårerne væltede i mine øjne, mens jeg forgæves spændte mod de lænker, der fængslede mig. Min brudekjole var nu snavset og revet. Og fremtiden, der virkede så lys for bare et par timer siden, var nu kulsort.

Men inderst inde vidste jeg, at Darius ikke ville give op på mig. Selv over for helvede selv, ville han komme og redde mig fra mørkets kløer. Og denne gang ville vi gøre en ende på Lord Damus for altid... eller dø i forsøget.

Mens jeg sygnede hen i den forbandede hule, samlede Darius alle i Nightglen til en redningsmission. Adelaide og Vladimir var rasende over, at de havde tilladt Lord Damus at bedrage dem og flygte igen.

— Denne gang vil vi udrydde denne skadedyr én gang for alle! Elia må være rædselsslagen og har brug for vores hjælp... Jeg svigter hende ikke igen! — erklærede Darius og svingede sit sværd.

De arrangerede at udføre en lokaliseringsbesværgelse med min iturevne brudekjole som fokus. Efter et par mislykkede forsøg opdagede de endelig min opholdssted: en hule dybt inde i Schwarzwald, en kendt højborg af mørke.

Uden at spilde mere tid organiserede de en redningsgruppe med de bedste krigere til rådighed. De drog straks mod nord, under den tordnende sorte himmel, forberedte til kamp. Darius red foran alle, fast besluttet på at indhente mig og eliminere Lord Damus én gang for alle.

I mellemtiden havde jeg opgivet at kæmpe mod kæderne, mine håndled og ankler var sårede og blødte fra friktionen. Jeg kunne kun høre det trykkende dryp i et eller andet hjørne og mit hjertes ujævne bank. Indtil fodtrin ekkoede i hulen, der nærmede sig.

Jeg så håbefuldt op og troede et øjeblik, at Darius var ankommet. Men det var Lord Damus, der bragte en bakke med et fad af noget ulækkert, der må have været mit måltid.

— Du skal holde kræfterne oppe, min kære... vi får snart vigtige besøgende! — hånede han.

Jeg spyttede på hans fødder med foragt, selvom jeg vidste, at jeg ville fortryde det senere. Lord Damus brølede og huggede på mig med sine kløer og efterlod blodige riller på min arm. Smerten var blændende, men den ville ikke give ham fornøjelsen af at se min lidelse.

Snart ville Darius og de andre ankomme. Og håbet om at se ham besejre Lord Damus én gang for alle holdt mig ved sin fornuft, mens jeg sygnede hen i de stinkende fangehuller.

Bare et par pinefulde timer senere hørte jeg lyden af kamp ekko tættere og tættere på. Mit hjerte stoppede næsten. De var kommet! Lord Damus knurrede en forbandelse, før han skyndte sig at forsvare sit territorium.

Nu var det et spørgsmål om tid, før Darius nåede mig. Og denne gang ville vi forlade den forbandede hule sammen én gang for alle.

Den rasende kamp mellem Nightglens styrker og Lord Damus' tjenere syntes at rykke tættere og tættere på mit fængsel. Jeg hørte skrig, brag og skrig ekko gennem tunnelerne. Indtil pludselig alt blev stille.

Jeg holdt vejret af frygt for, hvad stilheden kunne betyde. Havde Lord Damus besejret mine venner? Nej... jeg kunne ikke miste håbet nu!

Det var da jeg hørte forhastede skridt komme imod mig. Jeg løftede mine grådige øjne til indgangen, og denne gang kom mit hjerte næsten ud af min mund af lykke. Det var Darius!

Hans smukke ansigt var smurt ind med sod og blod, men da han så mig brød han ud i et bredt, lettet smil. Han løb hen til mig, knælede for at undersøge mine skader.

— Min elskede... gudskelov, du er i live! Det monster vil betale for det han gjorde!

Med en bølge af hans sværd faldt de lænker, der fængslede mig, fra hinanden. Jeg vaklede svagt og blev støttet af hans stærke arme. Jeg følte mig genoplivet efter at have smagt den søde smag af hans læber i de bekymrede kys, der dækkede mit ansigt.

— Lord Damus... de andre... — Jeg stammede svagt, stadig bange.

- Bare rolig. Det er overstået. Vores lys har overvundet mørket igen. Lad os nu forlade dette forbandede sted.

Darius rev en del af sin kappe af for at binde mine sår og tog mig så forsigtigt op. De fulgte mørke tunneler, indtil sollys til sidst invaderede mit syn, efter så lang tid i mørket.

Udenfor fejrede vores venner, glade for at se, at jeg var i sikkerhed. Lord Damus' styrker var blevet fuldstændig udslettet. Darius lagde mig forsigtigt på en båre, hvor healere hurtigt plejede mine sår.

Da vi vendte tilbage til Nightglen, udvekslede jeg et vidende blik med min forlovede, vores hænder flettet sammen. Vi havde overlevet denne frygtelige prøvelse af mørke. Og jeg tænkte uskyldigt, intet andet ville komme i vejen for vores længe ventede lykkelige slutning!

Men et lammende røgslør på himlen over landsbyen nærmest Nightglen...

På jagt efter svar

Da vi lagde mærke til den grå himmel ved højlys dag, i stedet for • • • at fejre, syntes en dårlig følelse at overtage alle. Det var for nemt... Vores mistanke blev bekræftet, da vi kom op til overfladen. I horisonten dækkede en ildevarslende sort røg vores elskede Nightglen. Lord Damus havde bedraget os!

Mens han holdt mig fanget som lokkemad, havde han bragt den frygtelige Xykar fra den mørke verden for at angribe og dominere vores forsvarsløse landsby. Hvordan kunne vi falde i denne modbydelige fælde?

Alle skyndte sig hjem og frygtede allerede det værste. Overalt var der spor af ødelæggelse og ild. Skyggevæsener gik nu frit gennem de engang fredelige gader. Vi var kommet for sent.

Darius slog et træ med sit sværd og brølede af raseri. Jeg græd voldsomt og følte mig skyldig over at have været instrumentet til den ulykke, selv uden egentlig skyld.

Der var kun én mulighed tilbage for disse tapre krigere: møde Xykar i en sidste desperat kamp. Selvom de var sårede og udmattede, løftede de deres våben og satte kursen mod landsbyen, villige til at dø om nødvendigt for at redde deres hjem fra mørkets kløer.

Lord Damus ville betale dyrt for at manipulere Darius' kærlighed til mig for at forårsage sådan smerte og ødelæggelse. Denne gang ville de ikke hvile, før de fjernede denne trussel for altid... selvom det kostede dem livet.

Mens jeg hulkede i ørkenen og forbandede min naivitet, der havde tilladt Lord Damus at sætte den fælde, marcherede Darius og de andre allerede modigt mod den belejrede landsby. Jeg havde bedt om at komme med dem, men Darius fik mig højtideligt til at love, at jeg ville forblive sikker i hulen, indtil han kom for at hente mig.

— Jeg kunne ikke holde ud at miste dig igen, min elskede. Vent her, jeg lover at vende tilbage i live og sejrrig! — var hans ord, inden han tog af sted med krigerne.

Og så så jeg dem forsvinde ind i kampen, der skulle afgøre vores verdens skæbne. Selvom de var sårede og udmattede, tog de af sted med løftet hoved, klar til at bringe et sidste offer i vores hjemlands navn.

Timerne gik langsomt, mens jeg ventede i angst og forestillede mig de rædsler, der ramte vores elskede Nightglen i det øjeblik. Indtil der på et vist tidspunkt kom en mærkelig følelse over mig. Noget i luften havde ændret sig.

Jeg løb ud af den hjemsøgte hule og frygtede det værste. Det var da, jeg stødte på den scene, jeg frygtede mest: Darius og vores venner var tilbage, med blodige lig på bårer. De havde fejlet...

Jeg løb hulkende hen til Darius, som faldt på knæ, besejret. De overlevende krigere havde mistet, tomme blikke. Ondskaben havde sejret over lyset den skæbnesvangre nat. Xykar og Lord Damus dominerede nu irreversibelt Nightglen.

I desperation holdt jeg Darius' ansigt i mine hænder og tryglede om håb. Hans blik sagde det hele. Det var slut. Ikke al vores kærlighed og magt havde været nok...

Mørket dækkede vores land som en sort kappe nu. Og under Lord Damus ondsindede latter, der ekkoede i det fjerne, var alt, hvad vi kunne gøre, at flygte med de overlevende og smerteligt genoverveje vores næste skridt i denne tilsyneladende tabte kamp.

Hjertebrudt blev jeg tvunget til at flygte ud i natten med Darius og en håndfuld overlevende, og efterlod vores elskede Nightglen til Xykars og Lord Damus dæmoniske kræfter. Vi kunne stadig høre skrigene af smerte og knitren fra flammerne, mens mørket slugte det, der engang havde været vores hjem.

Vi fortsatte gennem den tætte skov uden retning eller håb, og prøvede bare at lægge så meget afstand som muligt mellem os og det mareridt. Mange kom alvorligt til skade og måtte bæres på improviserede bårer af deres ledsagere.

Jeg gik frem i stilhed og holdt Darius, vores smerte og udmattelse var til at føle på. Hans blik var tomt, fortabt i minder, der nu syntes at tilhøre et andet liv. Vores eneste mulighed var at komme videre, selvom vi ikke vidste hvor.

Efter at have gået indtil daggry, stoppede vi endelig for at hvile os i en lysning. Vi helbredte de sårede, så godt vi kunne, og begravede med tårer dem, der var omkommet modigt i kamp.

Så, samlet omkring et svagt lejrbål, begyndte vi at diskutere vores næste træk. Nogle foreslog at forsøge at tilkalde forstærkninger fra nabolandsbyer. Andre gik ind for at gå i eksil og flygte så langt som muligt fra det forbandede land.

Darius forblev tavs i lang tid og så bare de knitrende flammer. Indtil han sagde med en fornyet fasthed i øjnene:

- Nej. Vi vil ikke løbe væk som kujoner og overgive vores folk til deres skæbne. Vi vil omgruppere vores allierede og slå tilbage... uanset hvad det koster!

Darius' ord genoptændte håbets flamme i vores nedtrykte hjerter. Vi rejser os fast besluttede på at følge din opfordring til våben, villige til at dø, hvis det er nødvendigt for at genvinde vores land.

Vi begyndte at sende hemmelige beskeder, der tilkaldte allierede fra nærliggende landsbyer til vores sidste højborg i bjergene. Gamle venner og nye frivillige sluttede sig snart til vores sag. Vi trænede utrætteligt og forberedte besværgelser og list.

Jeg arbejdede som aldrig før for at mestre nye angrebs- og helbredende besværgelser. Vi studerer fjenden utrætteligt og leder efter svagheder. Darius tog teten, og hans dristige planer genoplivede modet i vores hjerter.

På trods af håbets klima forblev smerten ved at miste så mange kære i live. Hver aften græd jeg og krammede Darius, indtil jeg faldt i søvn. Han strøg mit hår og lovede hævn.

Indtil dagen for angrebet ankom. Vi marcherede under den sorte himmel til dørene til elskede Nightglen. Darius råbte sin udfordring til Lord Damus og hans dæmoniske styrker. Torden brølede, da kampen begyndte.

Denne gang var vi forberedte. De besværgelser, vi kastede sammen, forårsagede frygtelig skade på fjendens værter. Vi rykkede frem gennem den belejrede landsby, lidt efter lidt genvinde vi territorium.

Da vi endelig ankom til Lord Damus' hule, brast vi i forening og forløste al vores opsamlede vrede og kraft. Luften selv syntes at vibrere, da magien kolliderede mellem godt og ondt.

Nu ville alt afhænge af vores vilje til at se Nightglen fri igen... selvom vi skulle ofre vores eget liv for at gøre det.

Kampen mod Lord Damus' dæmoniske styrker var hård. Vi rykkede langsomt frem gennem den belejrede landsby og vandt terræn tomme for tomme. Mange faldt undervejs, men vi kom videre med mod og hævntørst.

Jeg kaster kraftfulde besværgelser sammen med Darius, med det formål at forårsage så meget skade som muligt på fjenden. Vladimir og Adelaide kæmpede også frygtløst på trods af deres høje alder. Selv unge Edgar, min store ven, fældede modstandere med sin fortryllede dolk.

Da vi endelig nåede portene til Shadowthorn godset, hvor Lord Damus havde indrettet sit hovedkvarter, blev vores raseri endnu mere tiltaget. Det sted rummede dyrebare minder, som han nu farvede med sin modbydelige berøring.

Vi går frem som en nådesløs lavine gennem de engang smukke haver, nu sorte og snoet af mørk magi. Intet ville stoppe os, før vi genfandt det, der med rette var vores. Ikke engang døden.

Inde i palæet finder vi Lord Damus, der roligt sidder på Shadowthorn-tronen og nyder et glas vin, som om han fejrede sin katastrofale sejr. Hans arrogance fik vores blod til at koge.

Vi omringede ham med tryllestave og sværd klar, klar til at eliminere den plage én gang for alle. Hans hær blev ødelagt, der var ingen steder at løbe. Hans skæbne var beseglet. Vi faldt på Lord Damus med al vores vrede...

Kampen, der fulgte, var brutal og nådesløs. Men denne gang ville retfærdigheden sejre. Nightglen ville blive vores igen.

Kampen mod Lord Damus så ud til at have ingen ende. Han kastede kraftige mørke magi og forsøgte at holde os på afstand. Men vi ville fortsætte fremad, uanset omkostningerne.

Darius skilte sig ud, og hans præcise slag svækkede fjenden lidt efter lidt. Men Damus var også snu, og på et tidspunkt teleporterede han bag mig og holdt mig som gidsel.

- Et skridt mere og hun dør! - Damus truede, hans sorte blad pressede mod min hals.

Darius stoppede på plads og stirrede bekymret på mig. Jeg forsøgte at signalere ham til at fortsætte angrebet, men Damus trykkede bare hårdere på kniven.

— Du kan give op nu og forlade Nightglen fredeligt, og jeg vil lade din elskede leve. Hvæsede Damus og nød sit fordelsøjeblik.

Jeg kunne ikke tillade Darius og de andre at overgive sig, da vi var så tæt på. Jeg lukkede øjnene og fokuserede al min kraft i en eksplosiv besværgelse og sigtede mod jorden under os.

Nedslaget fik Damus til at flyve væk og befriede mig. Selv lamslået løftede jeg min tryllestav mod skurken. Darius smilede stolt og fortsatte sit angreb.

Vi kæmpede side om side og undgik Damus' gengældelsesbesværgelser. Indtil Darius ramte ham lige i brystet med sit flammende sværd og fik ham til at brøle af smerte.

Jeg tryllede så alle naturens kræfter mod Lord Damus - lyn, vind, sten. Der ville ikke være noget tilbage af ham, når vi var færdige. Nightglen ville blive vores igen.

Udmattede, men jublende, så vi kroppen af vores frygtelige fjende gå i opløsning, indtil der kun var en sort plet tilbage på jorden. Vi havde vundet! Vores hjem var gratis!

De gamle profetier

Med Lord Damus besejret, var alt, hvad vi kunne gøre nu, at finde en måde at forvise den frygtelige Xykar tilbage til den mørke verden, hvorfra han kom. Dette virkede dog umuligt, da hans dæmoniske essens gjorde ham immun over for enhver økse eller besværgelse af vores.

Det var da Vladimir huskede gamle profetier, der nævnte et ritual, der kunne åbne en portal og fængsle Xykar igen i hans rige. Vi begav os straks ud til hans tårn, på jagt efter de gamle skriftruller, der indeholdt nøglen til vores frelse.

Efter megen søgen blandt støvede bøger, udbrød Vladimir endelig euforisk med vidåbne øjne på et gammelt pergament.

Efter megen søgen blandt støvede bøger udbrød Vladimir til sidst euforisk med vidt åbne øjne på et gammelt pergament med mærkelige symboler:

- Jeg fandt! Hør dette: "Når det helvedes dyr rejser sig, er det kun den hellige krystal på ældstehøjden, der kan forvise det til det evige tusmørke..."

Vi udvekslede håbefulde blikke. Så der var en måde at åbne en portal og returnere Xykar til sin mørke verden! Vi skulle bare finde denne mystiske hellige krystal.

Ifølge Vladimirs kort var de ældstes top tre dages rejse nordpå gennem Misty Mountains. Vi besluttede at tage afsted med det samme, før Xykar kunne genopbygge sine styrker efter Lord Damus' nederlag.

Rejsen var vanskelig og farlig, med isende kulde, ukendte dyr og ujævnt terræn. Men vi forbliver faste i vores mål. Efter tre lange dage så vi den majestætiske Pico dos Anciões dukke op over skyerne i det fjerne.

Vi klatrede forsigtigt op til toppen gennem de klippefyldte kløfter. Der, i en frossen hule, fandt vi endelig det, vi ledte efter: en enorm, skinnende krystal, der pulserede af gammel energi. Profetiens hellige krystal!

Vi fik ham til Nightglen så hurtigt som muligt. Ifølge pergamentet skulle ritualet udføres i det nøjagtige øjeblik, da Aurora Borealis dukkede op i horisonten, under vintersolhverv. Tiden for det evige tusmørke for Xykar var nær...

Tilbage i Nightglen begyndte vi forberedelserne til ritualet, der ville sende Xykar tilbage til den mørke verden. Vi samler de nødvendige mystiske ingredienser og studerer alle detaljer i fortryllelsen. Den hellige krystal blev holdt skjult, beskyttet af magi.

I mellemtiden fordoblede vi vagter og beskyttelse i hele landsbyen. Xykar truede os stadig, hans helvedes væsner lurede rundt. Vi måtte holde ud et par dage mere, indtil vintersolhverv kom, hvor ritualet kunne udføres.

Heldigvis for os så han ud til at være svækket og desorienteret efter Lord Damus fald. Alligevel vidste vi, at hans raseri ville være forfærdeligt, når han opdagede vores planer. Vi havde at gøre med en kraft ud over vores forstand.

Solhvervsaften var alt klar. Det rituelle sted var dekoreret med stearinlys og hellige symboler tegnet på gulvet. Darius fik til opgave at lede besværgelsen på grund af hans kraft og forbindelse med telluriske energier.

Vi samledes ved solnedgang, på det nøjagtige tidspunkt, hvor himlen begyndte at danse med Aurora Borealis' grønne farver, som profetien havde forudsagt. Tiden var inde til at vende Xykar tilbage til den afgrund, han aldrig skulle have forladt.

Darius holdt den hellige krystal højt, da han reciterede de mystiske ord. En dimensionel hvirvel begyndte at åbne sig og sugede det omgivende mørke ind. Orion placerede sig ved siden af den nyligt åbnede portal, klar til at skubbe Xykar tilbage til sin verden, så snart han dukkede op.

Pludselig lød et overjordisk brøl, da en gigantisk skygge dukkede op fra den sorte tåge. Xykar førte sine kløer frem mod Darius i et forsøg på at stoppe besværgelsen. Det var da Orion gik i gang.

Ved at bruge sin enorme styrke greb han et af Xykars forvrængede ben og begyndte at trække ham mod den dimensionelle hvirvel. Dyret kæmpede rasende, men Orion ville ikke give slip, før han var på den anden side. Med et krigsråb gav Orion det sidste træk og forsvandt gennem portalen med Xykar.

Jeg lukkede øjnene lettet, da passagen lukkede med et klik. Xykar blev forbudt! Orion havde ofret sit liv for at redde Nightglen. Hans navn ville blive husket med ære i mange generationer...

Portal til en anden verden

Jeg lukkede øjnene lettet, da passagen lukkede med et klik. Xykar blev forbudt! Orion havde ofret sit liv for at redde Nightglen. Hans navn ville blive husket med ære i mange generationer...

Men dage senere havde Vladimir stadig håb om, at Orion kunne være i live et sted i underverdenen. Han besluttede at udføre et risikabelt ritual og tilkaldte sin tidligere allierede Ilex om hjælp.

Efter at have tegnet mystiske symboler og sunget besværgelser, dukkede en slank skikkelse frem fra den sorte røg. Det var Ilex, med grålig hud og helt sorte øjne.

Vladimir bad ham bruge sine mørke kræfter til at lokalisere Orion. Efter en kort tøven afslørede Ilex, at han følte sin tilstedeværelse fanget et sted i afgrunden. Orion var i live, men han ville have brug for hjælp til at flygte og vende tilbage!

Til at begynde med tøvende besluttede vi at stole på Ilex' ord og følge hendes instruktioner for at åbne en portal til Orion. Selvom det var risikabelt, kunne vi ikke overlade ham til hans skæbne efter hans offer for at forvise Xykar og redde Nighglen.

Så Vladimir og Darius fortryllede for at skabe en passage til afgrunden, mens jeg og de andre forberedte os på at gå ind i den mørke verden og redde vores ven.

Hånd i hånd gik vi gennem den dimensionelle portal ind i et diset, foruroligende landskab. Luften var tung og trykkende, og sorte skikkelser lurede i det fjerne. Vi fulgte koordinaterne fra Ilex til en hule hugget ind i den sorte klippe.

Indenfor finder vi Orion lænket og såret, men i live. Med en kraftig besværgelse brød Darius sine lænker, så vi kunne bære ham tilbage til portalen, før det var for sent.

Vel på den anden side tog vi os af Orions skader, som stadig var bevidstløs. Heldigvis kendte Vladimir kraftige helbredende besværgelser, hvilket bragte ham tilbage til klarhed efter lange timers omhyggelig behandling.

DA ORION ENDELIG ÅBNEDE øjnene, var det, som om vi alle åndede lettet op. Han virkede svag og desorienteret, men uden for fare. Vi var i stand til at forklare, hvor han var, og hvad der var sket.

— Jeg troede, jeg aldrig ville se sollys igen... — hviskede Orion med hæs stemme. — Jeg skulle have anet, at I sentimentale tåber ville komme efter mig.

Vi udvekslede smil. Uanset hvor meget Orion foregav at være uhøflig, vidste vi, at han inderst inde også ville gøre det samme for os hver især. Vi var mere end venner eller allierede. Vi var en familie.

Da vi fejrede Orions tilbagekomst, bemærkede ingen af os et uhyggeligt bevinget væsen, der havde sneget sig ud af den åbne portal til underverdenen, før den lukkede. Det var den frygtindgydende Soul Eater, der tog chancen for at komme ind i vores verden...

For nu var vi bare lettede over at have Orion tilbage i god behold. Men denne skjulte trussel ville snart afsløre sit frygtelige ansigt og stille os foran endnu en tilsyneladende uoverkommelig udfordring.

Vender mod Orion

I de følgende måneder efter Orions hjemkomst fra underverdenen, begyndte han at opføre sig mere og mere impulsivt og aggressivt. Mens alle tilskrev det traumer, begyndte jeg at mistænke, at der var noget mere uhyggeligt på spil.

En dag fandt jeg ham på loftet i Shadowthorn-palæet med en pulserende sort artefakt i hænderne. Orion så euforisk og ude af sig selv. Da jeg forsøgte at advare ham om faren, angreb han mig med overjordisk raseri.

Det var da, at jeg med rædsel indså, at Orion ikke længere havde kontrol over sig selv. En eller anden dæmonisk kraft havde besat ham og forvandlet ham til en ond marionetdukke. Men ingen andre troede på mine mistanker.

Der gik måneder, hvor Orion blev mere og mere voldelig og uforudsigelig. Indtil han en nat forsvandt på mystisk vis. I frygt for det værste satte vi ud for at lede efter ham i skoven...

Og vi fandt meget mere, end vi havde forventet. Noget der ville sætte Nightglen selv i fare.

I hjertet af skoven svævede Orion i luften omgivet af en ond aura, hans krop forvredet på en unaturlig måde. På jorden omkring ham lyste rituelle symboler en mørk violet.

Da han så os, grinede Orion halsende og afslørede spidse hugtænder. Hans engang blå øjne var nu helt sorte. Så sagde en hule stemme gennem ham:

— Fjolser... din ven eksisterer ikke længere. Jeg er Xykar genfødt! Og denne gang kan ingen forhindre mig i at erobre denne verden!

Vi udvekslede blikke af ren rædsel. Hvordan var dette muligt? Orion havde ofret sig selv for at forvise Xykar! Og alligevel besad den dæmoniske enhed ham nu som en skummel marionetdukke.

Før vi nåede at reagere, løftede Xykar Orion i nakken med sin onde magi. Vi var nødt til at handle hurtigt for at redde vores ven og forhindre monsteret i at styrke sig fuldt ud.

Vladimir begyndte at synge en modstavelse, hvilket fik Xykar til at brøle i had. I mellemtiden distraherede Darius og jeg ham med lette besværgelser for at svække hans fysiske form.

Kampen var hård, men vi ville ikke give op, før vi fik Orion tilbage og forviste Xykar igen. Hans tilbagevenden havde været dyr, men vi ville rette op på dette forkert og beskytte Nightglen for enhver pris.

"Da jeg greb Xykar ind i den dimensionelle hvirvel, troede jeg, at vi skulle til underverdenens afgrund, men noget gik galt. Vi faldt og kæmpede heftigt gennem grumsete vand, flammende himmel, indtil vi nåede et sted, der lignede Nightglen, men alt var... tværtimod.

Det var, som om vi var i en ond og livløs parallelverden, en spejlet og forvrænget virkelighed. Xykar så ud til at stålsætte sig der i starten, indtil jeg bemærkede en ægte frygt i hans blik, noget jeg aldrig har set før. Han følte en ældgammel tilstedeværelse langt ud over hans egen magt eller noget væsen, vi nogensinde har mødt.

Det var da Xykar fængslede mig og tog kontrol over min krop og sind og vandrede tilbage til den oprindelige hvirvel indtil han nåede underverdenen. Jeg føler stadig, at en del af ham smitter min sjæl, på trods af at han er blevet forvist..."

"Da vi åbnede den portal til underverdenen for at redde Orion, følte jeg også en forstyrrelse, som om en skygge havde forfulgt os i det øjeblik.

Siden da har jeg ikke været i stand til at ryste den foruroligende følelse af, at en eller anden ond ting eller skabning kan være flygtet ind i vores verden i det ritual. Noget ældgammelt og kraftfuldt, der lurer i skyggerne og venter på dets chance for at slå til...

Det er derfor, jeg fordoblede min træning med Vladimir, for at være forberedt, når denne skjulte ondskab endelig afslører sit ansigt. For jeg er sikker på én ting: før eller siden vil han komme ud af mørket og bringe ødelæggelse. Og vi skal være klar."

Farvel gamle ven

Kampen mod Xykar, som havde besat Orions krop, var hektisk. Vi forsøgte for enhver pris at få Orion til at genvinde bevidstheden, at uddrive den dæmoniske ånd, der kontrollerede ham.

På et tidspunkt løftede Xykar Orion op i luften og forberedte en dødbringende besværgelse mod mig. Vladimir, selv svækket af alderdom, stod foran mig og absorberede virkningen af sort magi.

Den tapre Vladimir kollapsede til jorden med et pinefuldt skrig. Jeg udnyttede Xykars korte distraktion og kastede min modstavelse, hvilket fik Orion til at kollapse bevidstløs, endelig fri fra den onde besiddelse.

Jeg knælede ned ved siden af den kære mentor Vladimir, som kæmpede for at trække vejret. Hans blik formidlede en bevægende sindsro. Med tårer i øjnene lovede jeg at tage mig af alt fra nu af. Han stolede på, at jeg skulle beskytte Nightglen.

Så Vladimir tog af sted i fred efter at have opfyldt sin mission med at forberede mig og nu give fremtiden i mine hænder. Hans offer ville aldrig blive glemt...

Efter Vladimirs tragiske død, da han forsvarede landsbyen fra Xykar, blev hans lig lagt til hvile i den store sal i Shadowthorn-palæet, så alle kunne vise deres sidste respekt til den elskede troldmand og mentor.

Opstyret var udbredt blandt beboerne i Nightglen. Unge og gamle, magtfulde og ydmyge, alle kom grædende og bedende foran sin åbne kiste, hvor Vladimir lå i fredfyldt fred, som om han sov.

Mange delte historier og minder om, hvordan Vladimir havde rørt og forbedret deres liv gennem årene. Hans viden og venlighed var et fyrtårn, der guidede utallige troldmænd mod lysets veje.

Selv de mest strenge medlemmer af rådet fældede tårer og hyldede vismanden, hvis forsigtige råd forhindrede utallige tragedier gennem årene i Nightglen.

Da jeg så hele samfundets oprigtige smerte, forstod jeg virkelig den uvurderlige arv, som Vladimir efterlod, langt ud over mig. Hans liv havde været en sand gave, og hans offer ville ikke være forgæves. Han ville beskytte Nightglen i hans sted, uanset hvad.

Intensiveret træning

Dawn rørte næsten ikke horisonten, da jeg befandt mig fordybet i utrættelig træning. Hver muskel i min krop gjorde ondt, men tanken om at give op var udelukket.

Jeg slog træningsdukken med mit fortryllede sværd og visualiserede den som en uforsonlig fjende. Hver bevægelse, enhver indsats, var en forberedelse til den konfrontation, vi vidste nærmede sig.

Pludselig lød en velkendt stemme bag mig:

— Det nytter ikke noget at udtømme din energi, før kampen overhovedet begynder...

Det var Darius, der så på mig med et bekymret udtryk. Jeg forsøgte at skjule min træthed og tilbød et tvungent smil:

—Bare opvarmning... Det er afgørende at blive stærkere, uanset hvad det koster.

Darius holdt mine hænder, hans berøring trøstede selv gennem min udmattelse.

— Elia, du er allerede den mest magtfulde troldkvinde, jeg kender. Og vi er ikke alene i denne kamp. Lad os hjælpe dig.

Jeg sukkede og lod mit forsvar falde. Det var sandt, min søgen efter styrke havde hensynsløst lukket mig ned.

— Undskyld... Jeg lover ikke at overdrive. Jeg vil bare ikke svigte Vladimir eller være vidne til, at flere uskyldige mennesker lider.

Darius gav mig et vidende blik, som om han forstod min frygt.

– Og de vil ikke lide. Sammen vil vi finde denne nye trussel og se den i øjnene. Du skal dog også passe på dig selv. Kom nu, det er tid til morgenmad.

Et ægte smil krummede mine læber, da jeg lod Darius guide mig tilbage til landsbyen. Med sådanne venner ved min side følte jeg mig usårlig.

Vi ville stå over for de udfordringer, som skæbnen kastede over os, forenede og fast besluttet på ikke at gentage fortidens fejltagelser. Sikkerheden om vores fagforening var en konstant påmindelse om, at vi ville sejre over skyggerne.

Da dagene gik uden yderligere angreb, tillod jeg mig selv at slappe af og tænkte, at det værste måske var overstået. Hvor tog jeg fejl...

Det var på en stormfuld nat, at advarslen nåede os. Bevingede væsner er blevet set svævende over Nightglen, et ildevarslende varsel.

Jeg løb hen til vinduet, et gys løb ned ad min rygrad, da jeg så de mørke former krydse nattehimlen på vej mod vores landsby. En flok furier, skumle tjenere af mørket.

Jeg greb fat i min stav og brød ud i natten, fast besluttet på at konfrontere dem, før de nåede husene. Jeg fandt Adelaide og Orion allerede engageret i en hård kamp mod de afskyelige skabninger på den centrale plads.

Uden tøven sluttede jeg mig til kampen og tilkaldte lette besværgelser for at jage væk og blinde raserierne. Men de blev ved og hylede af raseri over vores indsats.

Så lød en guttural stemme, en stemme der fik selv mine knogler til at ryste:

— Overgiv dig, idioter! I sjæleæderens navn, overdrag landsbyen, og jeg vil skåne dine elendige liv!

"Sjæleæderen!" Navnet gav genlyd i mit sind, et navn, der fremkaldte frygt og fortvivlelse. Vi ville dog ikke bøje os for mørket.

"Nightglen vil aldrig underkaste sig mørket!" Jeg skreg ind i natten og trodsede truslen, der omgav os.

Udmattet plejede jeg mine ledsageres skader så godt jeg kunne, før jeg endelig tillod mig selv at hvile. Vores fredsøjeblik var dog kort.

Den følgende dag holdt Rådet et hastemøde. Viden om, at Soul Eater nu var rettet mod os, spredte panik i hele landsbyen.

— Vi skal styrke vores forsvar og være forberedte på det uundgåelige. - erklærede Gareth alvorligt. - Jeg vil bede om hjælp fra nabolandsbyerne til at håndtere denne trussel fra Sjæleæderen.

Mit sind var fordybet i mørke tanker, bekymret over den forestående kamp, der nærmede sig. Vladimir, min mentor og beskytter, var blevet dræbt i kampen mod Xykar, og nu stod vi over for en ny trussel, som var personlig for mig.

Under mødet afslørede jeg, hvad jeg vidste om Soul Eater, hvordan han var flygtet gennem underverdenens portal, da jeg gik for at redde Orion. Dette skræmmende væsen kom dog stadig ikke frem for at kæmpe direkte.

Vores dage var nu fyldt med forberedelse og træning, og hvert medlem af landsbyen bidrog til forsvaret af Nightglen. Jeg havde en særlig rolle at spille, ikke bare som en magtfuld troldkvinde, men som en, der havde en unik forbindelse til sjæleæderen.

Midt i forberedelserne fandt jeg trøst i de velkendte ansigter, der var ved min side. Adelaide, Orion og Darius var min styrke, mit anker midt i stormen, der var ved at danne sig. Sammen skitserer vi strategier og styrker vores bånd.

Da kampdagen nærmede sig, blev beboerne i Nightglen grebet af en blanding af angst og beslutsomhed. Vi var ikke bare en landsby, vi var en familie forenet med målet om at beskytte vores hjem.

På den afgørende dag, med truslen om sjæleæderen over os, sendte de omkringliggende landsbyer forstærkninger for at deltage i vores kamp. Atmosfæren var fyldt med spændinger, da vi positionerede os for at møde det ukendte.

Timerne trak ud, og endelig så vi ankomsten af de første vingede skygger i horisonten. Furierne, Sjæleæderens tjenere, annoncerede begyndelsen af slaget.

Vi kæmper med beslutsomhed og mod og står over for raserierne i en dans af besværgelser og sværd. Foreningen mellem beboerne i Nightglen og forstærkninger fra nabolandsbyer viste sig at være essentiel, og sammen lavede vi et skjold af lys mod det nærmer sig mørke.

Kampen rasede, indtil de første solstråler dukkede op, og de resterende raseri spredte sig, ude af stand til at modstå dagens lys. Vi var udmattede, sårede, men triumferende.

På trods af sejren vidste jeg, at sjæleæderen stadig var derude og ventede på sin chance. Han havde ikke personligt optrådt i kampen, men hans tilstedeværelse svævede over os som en konstant trussel.

Sejren markerede ikke afslutningen på vores kamp, kun begyndelsen på et nyt kapitel i vores rejse. Sjæleæderen lurede stadig, og jeg var fast besluttet på at se ham i øjnene, for at finde ud af, hvorfor han var interesseret i mig, og for at beskytte Nightglen for enhver pris.

Så vi forberedte os på det, der skulle komme, vel vidende, at vi ville stå over for endnu større udfordringer, og at vores bånd ville blive sat på prøve. Uanset hvor dyster fremtiden så ud, havde vi hinanden og styrken til at møde det ukendte. Og så fortsatte vi vores kamp mod mørket i overbevisning om, at lyset ville sejre til sidst.

Den hemmelige mission

Efter den intense kamp mod Furies og den overhængende trussel fra Soul Eater, faldt der ro over Nightglen. Landsbyen kom sig over skaderne og tabene, mens jeg dykkede dybt ned i mine studier og refleksioner over, hvordan vi skal møde den næste fase af vores kamp.

Dagene var fyldt med konstant træning, ikke kun for at styrke vores magiske og kampfærdigheder, men også for at finpudse vores strategi. Sammen arbejdede vi utrætteligt for at skabe effektive forsvar mod mørket, der truede vores landsby.

I denne periode udmærkede Darius sig som en inspirerende leder. Hans beslutsomhed, mod og evne til at bringe mennesker sammen var egenskaber, jeg beundrede dybt. Han blev et symbol på håb for beboerne i Nightglen og motiverede alle til at stå fast i modgang.

Da vi forberedte os til den næste konfrontation med Sjælæderen, søgte vi også bedre at forstå hans motiver. Vores forskning førte os til at udforske landsbyens gamle optegnelser og lede efter spor om oprindelsen af dette mørke væsen og dets forbindelse til mig.

Det var dengang, vi opdagede en gammel legende, der talte om en kraftfuld artefakt kendt som "Sjælestenen". Ifølge legenden indeholdt stenen umådelig kraft, i stand til at kontrollere sjæle og påvirke skæbner. Det blev antaget, at sjælæderen søgte denne sten for at øge sin magt og sprede kaos.

Vi besluttede, at vi skulle finde sjælestenen, før sjælæderen gjorde det. Guidet af gamle inskriptioner begiver vi os ud på en farefuld rejse for at finde artefakten, før den falder i de forkerte hænder.

Vores søgen tog os til fjerntliggende og farlige steder, hvor vi stod over for mørke væsner og magiske udfordringer, der testede vores evner og beslutsomhed. Men med vores gruppes mod og sammenhold overvandt vi enhver forhindring, vi stødte på.

Endelig, efter måneders søgning, fandt vi sjælestenen gemt i en dyb hule, beskyttet af magiske fælder. Da jeg nåede artefakten, mærkede jeg en ildevarslende energi, der udgik fra den, en følelse af, at vi var ved at udløse en kraft, vi ikke helt forstod.

Vores mission var dog langt fra slut. Nu hvor vi havde sjælestenen i vores besiddelse, stod vi over for et vanskeligt valg: ødelægge den for at forhindre den i at falde i hænderne på sjæleæderen, eller find en måde at bruge den mod ham.

Konsekvenserne af vores handlinger ville have en dyb indvirkning ikke kun på Nightglen, men også på balancen mellem lys og mørke. Midt i fremtidens usikkerheder var én ting klar: den stilhed, vi oplevede, var kun stormens øje. Den virkelige kamp var endnu ikke kommet, og vi var klar til at møde den, bevæbnet med mod, sammenhold og styrken af de bånd, vi havde bygget.

Vi fortsatte vores rejse, bevidste om, at kampen mellem lys og mørke langt fra var forbi. Men vi var fast besluttet på at kæmpe for vores landsby, vores kære og den verden, vi elskede. Og så forberedte vi os til den endelige konfrontation mod sjæleæderen, overbevist om, at vores beslutsomhed og håb ville guide os gennem mørket mod lyset.

Da vi holdt sjælestenen i vores hænder, syntes den mørke energi, der kom fra den, at pulsere i harmoni med vores hjerter. Vi vidste, at den beslutning ville være afgørende for Nightglens skæbne og alle, vi elskede.

Vores gruppe, nu styrket af dybere bånd og urokkelig tillid, samledes om sjælestenen i det underjordiske kammer. Darius, med sit mod og lederskab, henvendte sig til hende og så på hver af os med beslutsomhed.

- Det er det sværeste valg, vi nogensinde har stået over for. Hvad vi derefter gør, vil forme skæbnen for ikke kun Nightglen, men hele verden. Vores fjender er magtfulde, men det er vores enhed og overbevisning også. Sammen beslutter vi, hvad der er rigtigt.

Darius' ord genlød i vores sind, da vi stod over for omfanget af vores beslutning. Sjælestenen, som repræsenterede så meget magt og fare, krævede et valg, der ville udfordre vores dybeste principper.

Orion brød med sine klare øjne fulde af beslutsomhed stilheden:

— Vi kan ikke tillade, at sjæleæderen bruger dette til at sprede mere mørke. Vi skal ødelægge det.

Adelaide nikkede alvorligt, hendes udtryk afspejlede Orions beslutsomhed:

— Vi kan ikke risikere, at denne magt falder i de forkerte hænder. Ødelæggelse er den eneste mulighed.

Deres ord gentog mine egne bekymringer. Da vi så på Sjælestenen, mærkede jeg Vladimirs tilstedeværelse ved siden af mig, som en visdoms hvisken i mit hjerte.

— Vi skal tænke ikke kun på nutiden, men på fremtidige generationer. Hvis vi tillader denne magt at blive brugt til det onde, svigter vi dem, vi elsker, og vores pligt til at beskytte lyset.

Beslutsomheden i hans ord blandede sig med mindet om Vladimir, en mand, der gav sit liv for vores sag. Beslutningen blev truffet.

Med et kollektivt blik kom vores hænder sammen, og vi kanaliserede vores energier ind i Sjælestenen. Efterhånden som det mørke skær voksede, følte vi forbindelsen til de sjæle, der kom før os, Nightglens vogtere, der kæmpede mod mørket.

Med en sidste fælles indsats knuste sjælestenen og forsvandt i et lysudbrud. En følelse af lettelse og håb spredte sig blandt os, som om vi havde truffet den rigtige beslutning.

Vi vidste, at kampen langt fra var forbi, men vi var nødt til at fortsætte med at tro på styrken af vores formål og det lys, vi havde i os.

Med sjælestenen ødelagt, blev sjæleæderen svækket, ude af stand til at styrke sig selv med sin kraft.

Vores øjne mødtes, og en følelse af sammenhold og robusthed bragte os endnu tættere sammen. Vladimirs ord genlød i vores sind: "Rejsen er lang, og kampen er besværlig, men lyset vil altid sejre over mørket."

Med faste og beslutsomme hjerter var vi klar til den næste udfordring. Den sidste kamp mod sjæleæderen nærmede sig, og håbet skinnede som et fyrtårn på vores rejse.

Møde med fjenden

Efter sejrene over Furies og ødelæggelsen af Sjælenes Sten sank Nightglen ned i en urolig ro. Selvom befolkningen var lettet, forblev jeg ophidset, klar over, at sjæleæderen stadig var på fri fod og lurede i skyggerne.

Snart begyndte tegn på en ny trussel at dukke op. Rapporter om mærkelige væsner, der strejfer rundt i det omkringliggende område, og deres sår udstrålede en mørk aura, indikerede, at noget mere uhyggeligt nærmede sig.

En stille nat, mens jeg studerede alene i Vladimirs bibliotek, hørte jeg en lyd komme nedefra. Jeg holdt godt fast i min stab og gik forsigtigt ned.

Men det, jeg fandt i rummet nedenfor, fyldte mig med ængstelse. En høj skikkelse med hætte rodede gennem Vladimirs relikvier, som om han ledte efter noget.

- Hvem er du? Hvorfor er du her? - min stemme lød fast, selvom mit hjerte bankede hurtigt. Skikkelsen vendte sig langsomt mod mig, to lysende røde øjne stirrede på mig fra dybet af hætten. Et gys løb ned ad min rygrad.

Stemmen, der svarede, lød hule og mørk:

— Jeg tager bare tilbage, hvad der med rette tilhører mig, unge menneske.

Min beslutsomhed vaklede ikke:

— Jeg vil ikke tillade dig at stjæle noget fra dette hus! Jeg foreslår, at du går straks, fremmed!

En uhyggelig latter undslap figurens læber og ekkoede fra væggene som en hvisken af mørke.

— Hvilken modig kriger du er... men jeg er bange for, at du ikke er klar til at møde mig endnu. Snart krydses vores veje igen.

Uden at jeg kunne reagere, opløste den sig til en sky af sort røg, der forsvandt ud i natten. At advare andre om den mærkelige ubuden gæst lod ikke vente på sig, og alarmen spredte sig.

— Det kunne være Sjælesæderens tjener! – udbrød Orion, med øjnene rettet mod horisonten.

Men mine mistanker var anderledes:

– Nej... han var anderledes. Ældre og mere kraftfuld. En endnu mere forfærdelig trussel nærmer sig.

Dagene efter var opslugt af forberedelser. Vi styrkede vores beskyttelsesbesværgelser og fordybede os i utrættelig forskning for at forstå den forestående trussel. Det var da noget i Vladimirs gamle notater fangede min opmærksomhed.

— Jeg fandt noget i disse gamle skrifter... De taler om Sjæleæderen. Jeg tror, han selv brød ind i vores hus den nat.

Adelaide delte tung information:

- For århundreder siden udfordrede troldmanden Altas sjæleæderen og fængslede ham på et andet fly ved hjælp af en kraftfuld artefakt. Nu er han vendt tilbage, muligvis efter den medaljon, din mor, Isadora, gav dig, før du kom til Nightglen... han søger hævn.

En kuldegysning løb ned ad min rygrad, da jeg indså, at jeg utilsigtet havde bragt denne frygtelige trussel mod Nightglen.

Men oprindelsen betød ikke noget, vi ville møde fjenden side om side. Denne gang var vi forberedt på den forestående kamp.

Sandheden om Devourer og Altas' medaljon ramte mig som et slag i maven.

— Så jeg bragte ødelæggelse til Nightglen... Hvordan kunne jeg være så hensynsløs?

Adelaide forsøgte at dæmpe min skyldfølelse, men smerten ved situationen var ubestridelig. Det var tid til at rette op på det, vi uforvarende havde sluppet løs.

Oprivende dage fulgte, fyldt med diskussioner og forskning for at finde en måde at stoppe Opslugeren på. Til sidst foreslog Adelaide en risikabel idé, men det var tilsyneladende vores eneste håb.

— Vi skal tilbagelevere Medaljonen til det Sted, hvor Altas oprindelig fængslede Fortæreren. En rift i de forbudte dybder af Cave of Lost Souls vil føre os til Upside Down. Der kan vi kun forsegle Devourer igen.

Min angst voksede:

- Hvor er dette sted?

Adelaide så endnu mere dyster ud:

— I de hjemsøgte dybder af Cave of Lost Souls er der en rift, der fører til Upside Down. Ingen, der kom derind, vendte tilbage på samme måde. Men vi har ikke noget valg.

Selvom nyheden var dyster, kunne vi ikke trække os tilbage. Vi ville begive os ud mod den forbandede hule og se usikkerheden i øjnene, lokke sjæleæderen ind på hovedet og besegle ham i fængslet.

Natten før rejsen omsluttede et uhyggeligt mareridt mig, en hule stemme, der kaldte mit navn. Jeg vågnede rystende og svedte.

Darius svøbte mig i et beskyttende kram og forsøgte at berolige min uro. Jeg vidste, at han også var bange, men hans tilstedeværelse gav mig en vis trøst.

— Det bliver okay... vi er sammen. - Jeg forsøgte at overbevise mig selv om ordene.

Morgenen kom, overskyet og tungt. Vi drog ud under tågeslør, forenet mod det onde, der ventede os.

Med front mod den mørke indgang til Cave of Lost Souls stod vi over for afgrunden. Dens indre slugte lyset, en tæt og trykkende sorthed. Vores tryllestave oplyste den smalle, fugtige sti, vi kom ind på. Hvisken og støn gav genlyd fra dybet og gav næring til vores frygt.

Da vi rykkede frem, begyndte medaljonen om min hals at lyse klart, og dens lys reflekterede fra klippevæggene. Vi kom tættere på.

Til sidst krydser vi rum-tids-kløften og dukker op i den omvendte verden.

Miljøet føltes velkendt, som en mørk kopi af Nightglen. Kendte gader, lignende huse, men nedsænket i en omvendt og uhyggelig atmosfære.

Min fars hus dukkede op i det fjerne og så næsten identisk ud med Nightglens. Jeg tøvede ikke og gik ind og gik forsigtigt op ad trappen for at undgå fælder. Da jeg trådte ind i det rum, der svarede til mit i den virkelige verden...

En dyb, truende latter ekkoede, skar gennem stilheden. Sjæleæderen dukkede op fra skyggerne, dens røde øjne flimrede i mørket som glødende gløder.

— Fjolser... aflever, hvad der med rette er mit... og måske vil jeg skåne jeres liv.

Mit svar var øjeblikkeligt og bestemt:

— Aldrig!

The Devourer avancerede med sin onde aura. Jeg reagerede med mine lette besværgelsers fulde kraft, men det var tydeligt, at jeg stod over for en fjende af gammel styrke og umådelig kraft.

Da mine kræfter svigtede, og jeg var på grænsen til at blive fortæret af mørket, forberedte Opslugeren sit sidste slag mod mig. Dens forgiftede kløer rettet mod mit bryst og var ved at rive mig fra hinanden. Det var i det øjeblik, at Darius kastede sig foran mig og tog forgiftede kløer til sin skulder.

I en sidste indsats samlede jeg al den energi, jeg havde tilbage, og kanaliserede kraften fra Altas' medaljon. Energien glødede klart og forviste sjæleæderen tilbage i mørkets dyb, hvorfra den var dukket op.

Vi befandt os tilbage på overfladen, sikre fra konfrontationen, men Darius' sår forblev åbent og udstrålede en mørk aura. Han var blevet forbandet af devourerens forgiftede klo i den forbandede hule.

Ond gift strømmede gennem hans årer, men Darius skjulte denne sandhed for alle, inklusive mig. Han kendte vægten af den forbandelse, der tærede på ham, men hans kærlighed til mig fik ham til at bære lidelsen alene og foretrak den byrde frem for at forårsage mig mere smerte.

Forbandelsen fortærede ham som en fortærende ild og tærede hans væsen. Darius valgte dog at møde denne interne kamp i tavshed, da han ikke kunne holde ud at miste mig, især efter at vi endelig var fri for truslen fra Opslugeren. Han var villig til at se det mørke i øjnene, der fortærede ham, selvom det førte til hans egen undergang.

En usikker skæbne udspillede sig foran os, en rejse med mod og ofre. Og så, efter at have stået over for sjæleæderen, ville vores kærlighed og beslutsomhed blive sat på prøve, da Darius stod over for en intern kamp, der kunne besegle hans skæbne for evigt.

Ondskabens vækkelse

I ugerne efter kæmpede Darius tappert mod Opslugerens forbandelse og mærkede mørket gnave i hans ånd. Hver dag var en tabt kamp mod det onde, der voksede i mig.

Indtil han ikke kunne holde det ud mere. På en fuldmånenat, forblændet af smerte og fortvivlelse, flygtede hun ind i den mørke skov. De høje træer virkede tavse vidner til min smerte.

Dér, hvor skyggerne flettede sig sammen med hans mørkeste tanker, løftede han sine hænder mod himlen og råbte til mørkets magter, der nu beboede mig. Torden ekkoede som et kor af smerte, og regn begyndte at falde som tårer fra himlen og genlyd det kaos, der tog fat i mig.

— Hvis dette er min skæbne, så må det være! Jeg omfavner den magt, jeg forsøgte at benægte så længe!

I mellemtiden, tilbage i landsbyen, vågnede jeg med en start, en dyb angst klemte mit bryst. En usynlig forbindelse syntes at trække mig hen imod det, som om jeg på en eller anden måde vidste, hvad der skete.

Jeg løb ud, regndråberne blandede sig med de tårer, jeg vidste, at jeg fældede for ham. Da jeg nærmede mig lysningen, stod det skyggefulde lys, der omgav ham, i kontrast til den mørke nat, som en forudanelse om, hvad der skulle komme.

Da jeg ankom til lysningen, blev jeg mødt med hans øde blik, en afspejling af hans eget mørke. Jeg hviskede hans navn, min stemme rystede, og tårerne strømmede ned af mit ansigt var som hans eget spejl.

– Darius... hvad gjorde du? - min stemme skælver, mine ord et ekko af min vantro.

— Jeg omfavnede endelig min sande skæbne, Elia! udbrød han, og en bitter latter undslap hans læber. - Skæbnen for en mørkets tjener!

Tårer blandede sig med regnen, mens hun stirrede på ham, vel vidende at mørket var blevet hendes uadskillelige følgesvend.

– Det er ikke dig, Darius! Bekæmp dette mørke, før det fortærer dig!

En grimase af smerte dannede sig i hans ansigt, en desperat kamp foregik inde i ham. Men mørket sejrede og forvandlede hans udtryk til et skummelt smil.

– For sent, Elia... den Darius, du kendte, er død! Kun Lord Daarzak er tilbage!

Han sendte et brag af mørk energi mod mig, og jeg undgik det snævert.

— Gør ikke dette... der er stadig lys inden i dig!

Jeg ignorerede hans ord, opslugt af min egen vrede og bitterhed. Vores besværgelser stødte sammen med Orions og de andres, en kamp, jeg vidste, at jeg ikke kunne vinde.

Midt i udvekslingen af besværgelser og lyn ramte det sidste nedslag ham. Han faldt på knæ, livets sidste åndedrag undslap hans krop.

— Mig... tilgiv... Elia... - hviskede han, hans ord fyldt med beklagelse og anger, inden forbandelsen til sidst slugte ham helt.

Jeg nærmede mig og holdt hendes livløse krop i mine rystende arme. Hans ord var hans farvel, et vidnesbyrd om en kærlighed, han ikke kunne beskytte. Regnen fortsatte med at falde, gennemblødte os og skyllede den tristhed væk, der fyldte luften.

– Nej... Darius... venligst... forlad mig ikke! - mine desperate bønner ekkoede i luften, men han var uden for nogen reaktion.

Det var for sent. Han var væk og tog en del af mig med sig, som aldrig kunne genoprettes. Jeg prøvede at hviske en anmodning om tilgivelse, et brudt løfte, da mørket omsluttede ham fuldstændigt.

I det mørke øjeblik var det eneste, der var tilbage, ekkoet af en afbrudt historie, en kærlighed, der ikke havde chancen for at blomstre, og tomheden af evig længsel.

"Mit navn er Darius, og jeg stoppede aldrig op for at reflektere over de ting, jeg gjorde, eller hvordan mit liv og død ville være, hvis jeg var en normal person som så mange andre!

Ingen! Virkelig, jeg stoppede aldrig, før jeg kendte frygten for at miste en stor kærlighed... Jeg lavede mange planer for os, men min skæbne var sat for evigt.

Forbandelsen, der bebor mit blod, er som en gift, der langsomt fortærer mig. Siden jeg var lille, har jeg levet med hvisken i mit sind og prøvet at korrumpere mig.

I årevis modstod jeg tappert, motiveret af hans kærlighed og støtte, min søde frelse. Men i sidste ende tror jeg, at mørket sejrede og forvandlede ham til det frygtelige monster, der knuste mit hjerte.

Han gav efter for skyggerne og sårede alle, der elskede ham, forblændet af overdreven ambition. Jeg var tåbelig at tro, at jeg kunne hjælpe ham med at trodse sin forbandede skæbne, men godt og ondt spillede en farlig leg med ham. Nu, besejret, virker alle øjeblikke af lys fjerne, da mørket endelig sluger ham, langsomt, som om han nyder at smage hans liv.

Alligevel er der håb. Han efterlod mig et nyt liv født af kærlighed og renhed på trods af hans fejl. Hun vil være stærk og have det godt, det er jeg ikke i tvivl om. Så måske var hans liv ikke."

Et lys på horisonten

Efter Darius' død vendte jeg mig væk fra alle i Nightglen og levede min sorg i ensomhed. Livet mistede sin farve uden min kærlighed, og jeg var ligeglad med, hvad der skete omkring mig.

Indtil, måneder senere, opdagede jeg, at jeg var gravid. Tårer af lykke blandet med tårer af sorg. Et nyt liv, frugten af vores kærlighed, voksede inde i mig.

Men tilfredshed gav hurtigt plads til frygt. Hvad hvis barnet havde arvet den mørke forbandelse, der tog Darius? Lord Damus' sidste ord genlød i mit sind:

"Mørkets frø er blevet plantet..."

Jeg lagde mine hænder på maven med en stille bøn. Nej, jeg kunne ikke miste denne sidste forbindelse med min elskede til skyggerne!

Jeg ledte efter Adelaide og fortalte hende om graviditeten. Hans øjne viste, at han delte min frygt.

— Hvis barnet virkelig har arvet et eller andet spor af det onde, bliver vi nødt til at handle for at redde det. - sagde Adelaide.

Da jeg så Adelaides beslutsomhed, følte jeg en gnist af håb. Min søn ville have en chance, omgivet af så meget kærlighed og kraft.

Sammen ville vi sikre, at mørkets frø aldrig ville bære frugt. Dette nye liv ville være et bevis på, at det gode altid kan blomstre selv fra mørket.

Og så, støttet af min nye familie, ventede jeg med håb på fremtiden, der voksede i min mave.

Efterhånden som graviditeten skred frem, kæmpede jeg med modstridende følelser. Lykken for det liv, jeg bar i mit liv, og frygten for, at jeg kunne arve en eller anden skadelig egenskab fra min far.

Adelaide støttede mig betingelsesløst. Hun virkede optimistisk om, at vi med ordentlig pleje kunne sikre en normal, sund fødsel.

Orion har også været ved min side, på trods af vores svære historie. Han forstod godt mørkets smerte og ville gøre alt for at forhindre et andet liv i at gå tabt i mørket.

Selv Gareth, normalt så skeptisk, udtrykte begejstring over sit barnebarns ankomst. Han bestilte legetøj, tøj og planlagde alle detaljer for at byde barnet velkommen.

Endelig, efter hvad der virkede som en evighed, kom dagen. Adelaide og hendes team af healere gjorde deres bedste for at få alt til at gå glat.

Efter ulidelige timer hørte jeg min søns stærke, sunde gråd. Elius, som vi besluttede at kalde ham. Så snart jeg så ham, vidste jeg, at alt ville være godt.

Han havde sin fars honningfarvede øjne og sorte krøller, men intet tegn på mørke mærkede ham. På trods af sin mørke oprindelse blev Elius født ren og ren.

Mørkets frø havde ikke båret frugt. Kærligheden havde sejret over hadet. Og endelig så jeg lys i horisonten igen.

Vend tilbage til Grammaria

Jeg opdragede kærligt min søn Elius i Nightglen i de næste par måneder. En tanke ville dog ikke lade mig være i fred. Rådet så ikke positivt på vores historie.

En dag hørte jeg rådsmedlemmer kommentere på at holde et vågent øje med barnet for at "sikre, at han ikke udgjorde en fremtidig trussel." Mit blod løb koldt.

Den aften havde jeg en alvorlig snak med Adelaide og Orion.

— Jeg kan ikke lade dem gøre noget ved min søn. Jeg er nødt til at beskytte ham, langt herfra.

De var ked af det, men forstod min beslutning. Næste dag pakkede vi vores kufferter for at tage afsted til mit hjemland, Grammaria. Der ville vi være i sikkerhed.

Orion tilbød at eskortere os på turen og sikre vores sikkerhed. Min far Gareth ville også komme, så vi ikke skulle skilles igen.

Vi forlod under Rådets misbilligende blik. Men jeg holdt hovedet højt. Elius fortjente et fuldt og lykkeligt liv uden vægten af sine forældres fortid. Det ville jeg give dig.

Turen var anspændt og trættende. Orion forblev opmærksom og frygtede et bagholdsangreb når som helst. Heldigvis ankom vi til min gamle hjemby uden hændelser, og snart bød min mor os glad velkommen!

Der, under den klare sol og blå himmel, opdragede jeg Elius i fred i årevis. Omgivet af kærlighed forsvandt fortidens skygge hurtigt og efterlod kun gode minder.

Og da jeg så min søn vokse op stærk, venlig og fuld af lys, vidste jeg, at jeg havde truffet det rigtige valg. Uanset hvor stort mørket er, ville håbet altid blive genfødt for at oplyse nye veje.

Nogle år senere...

Det var en solrig morgen i Grammaria, da et uventet brev ankom. Jeg genkendte min mor Isadoras finurlige håndskrift.

Med rystende fingre åbnede jeg konvolutten og begyndte at læse. Da ordene afslørede deres indhold, vældede tårer af følelser frem i mine øjne.

Efter alle disse år fra hinanden havde mine forældre genfundet den kærlighed, der engang førte dem sammen. Isadora skrev for at sige, at hun og Gareth besluttede at give deres forhold en chance til.

Jeg kunne ikke tro det! Efter så megen lidelse, endelig nogle glade nyheder!

De to var blevet modne og ønskede oprigtigt at starte forfra, denne gang forenet af en dybere og klogere kærlighed. Og de ønskede at fejre denne fornyede forening lige her i Grammaria, omgivet af dem, de elskede.

Elius kom løbende for at finde ud af årsagen til tårerne, og vi fortalte ham nyheden. Snart var vi både hoppende og grinende, fordybet i lykke.

På den ønskede dag blev der arrangeret en stor fest på stranden ved solnedgang. Jeg byttede min sorte kjole ud med en blå fuld af blomster, der symboliserer lysere dage.

Da Isadora dukkede op i hvidt, arm i arm med Gareth, kunne jeg næsten ikke holde mine tårer tilbage. Hendes smil var det mest strålende, jeg nogensinde har set.

Under den enkle, men bevægende ceremoni, så jeg mig omkring og så, hvor meget denne nye forening helede sårene hos så mange tilstedeværende.

Kærlighed finder altid en vej, selv når den ser ud til at være uddød. Og den aften ved havet blev håbet genfødt i vores hjerter.

Under bryllupsreceptionen kunne jeg huske alle de op- og nedture, der førte til det øjeblik af glæde. Mit blik var tabt i horisonten, hvor solen var ved at gå ned i havet.

Hvor mange tårer var der blevet fældet, hvor mange prøvelser stod over for... Men trods alt var der stadig plads til ny begyndelse og lykke.

Jeg kunne ikke lade være med at tænke på Darius, og hvordan jeg ville ønske, han havde været der for at se dette øjeblik. Smerten af hans tab levede stadig i mit bryst. Men nu havde den en bittersød, nostalgisk tone.

Jeg mærkede en trøstende hånd på min skulder. Orion kiggede på mig med et blidt smil, så forskelligt fra hans mørke måder i fortiden.

— Vær ikke ked af det ved en lejlighed som denne. Jeg ved, at han også ville være glad for dig.

Orion rakte hånden i tavs opfordring. Med et taknemmeligt nik tog jeg imod. Vi dansede til den bløde musik i det bløde sand i skumringen.

Havbrisen tørrede de stædige tårer, der løb ned ad mit ansigt. Men Orion guidede mig bare roligt gennem dansen og formidlede en dæmpet sindsro.

I det øjeblik vidste jeg, at der helt sikkert ville komme bedre dage. Fra lidelsens aske blomstrede nye håb op. Det var bare et spørgsmål om tid.

Mens vi dansede, fangede noget min opmærksomhed. Elius iagttog os langvejs fra, og der var noget mærkeligt i hans blik, næsten som... en følelse af misbilligelse.

Pludselig fejede en stærk vind gennem festen, væltede bord og stole og efterlod alle i panik. Det var da jeg så min søns øjne blinke rødt, bare et øjeblik.

Mit hjerte frøs. På trods af al den omhu, der blev taget for at løfte ham væk fra den skygge, løb Darius' kræfter stærkt gennem drengens årer. Og da han så mig danse med en anden end sin far, vækkede han noget mørkt inde i ham.

Jeg bevægede mig hurtigt væk fra Orion og gik hen til Elius, der så bange og forvirret ud som de andre. Jeg kærtegnede hans ansigt og forsøgte at berolige ham, selvom mit sind summede af bekymringer.

- Det var bare en uventet storm, okay. Lad os pakke tingene sammen og afslutte festen! - udbrød jeg højt til gæsterne.

Jeg kiggede hurtigt på Gareth og Isadora. De behøvede ikke at håndtere den byrde, ikke nu. Jeg ville løse det her selv... på en eller anden måde.

Mens han hjalp med at sætte alt sammen igen, kom Elius for at undskylde. Jeg lod som om, der ikke var sket noget, selvom mit hjerte gjorde ondt.

Mørkets frø var ikke helt slukket. Jeg bliver nødt til at fordoble min omsorg og træning med Elius. Han ville aldrig tillade skyggerne at fortære ham, som de gjorde hans far.

Farlige åbenbaringer

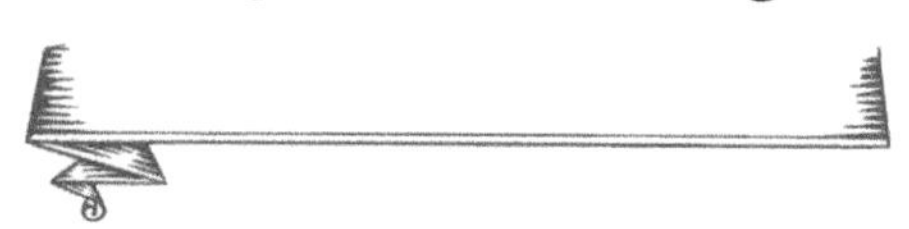

Årene gik fredeligt i Grammaria. Jeg opdragede Elius med stor omhu og hengivenhed og skjulte hans mørke side for ham. Orion var en omsorgsfuld onkel, der hjalp mig med at passe på ham.

Da Elius blev ældre, fortalte han historier om mine gerninger, men udelod detaljer om sin far. Drengen havde et godt hjerte, og det ville jeg bevare.

Indtil han en dag konfronterede mig:

– Mor, hvorfor skal jeg altid overvåges? Jeg vil ud alene, møde andre unge troldmænd på trylleskole! Jeg er klar!

Jeg sukkede. Jeg kunne ikke længere udsætte sandheden. Jeg gjorde tegn til ham at sætte sig ved siden af mig.

— Min søn... det er på tide at finde ud af din far, og årsagen til så megen omsorg.

Så jeg fortalte alt. Darius' forbandelse, vores kærlighed, hans fald i mørket... og frygten for, at det samme en dag ville ske for ham.

Elius hørte alt i chok. Jeg så smerten i hans øjne, da han lærte den mørke historie, der gav ham anledning.

– Så... jeg er et monster? Bestemt til mørke som min far?

Jeg krammede ham hårdt.

- Selvfølgelig! Du er fri til at tegne din egen vej i lyset! Men vi skal være forsigtige... Jeg vil bare beskytte dig.

Efter et stykke tid af stilhed så Elius beslutsomt på mig:

— Sammen vil vi overvinde denne mørke arv. Jeg vil bringe min fars navn ære ved ikke at gentage hans fejl. Jeg lover!

Jeg smilede med tårer i øjnene. Min dreng var vokset op stærk og retfærdig. Mørket i hans blod definerede ham ikke. Og jeg ville være der for at guide dig mod lyset.

Efter vores hjerte-til-hjerte-snak besluttede jeg, at Elius var klar til at studere på Magic School i Nightglen. Orion ville holde øje med ham, for en sikkerheds skyld.

Elius kunne næsten ikke rumme sin lykke, da han hørte nyheden. Han ville endelig møde andre unge troldmænd og lære besværgelser ud over det grundlæggende, jeg lærte ham.

Jeg tog ham personligt på den første dag i undervisningen. Det var nostalgisk at se de korridorer og rum, hvor jeg studerede mig selv. Elius var knap fyldt med nysgerrighed og entusiasme.

— Opfør dig selv, studer hårdt og tøv ikke med at besøge os, når du vil! - Jeg anbefalede, med tårer i øjnene, da jeg efterlod ham ved døren til værelset.

– Du kan lade være, mor! Jeg vil gøre dig og far stolte! - svarede han og krammede mig hårdt.

Da jeg så ham forsvinde blandt de andre elever, følte jeg en blanding af frygt og håb. Min dreng var helt voksen. Og jeg havde gjort mit bedste for at forberede ham godt.

Selv langt væk ville jeg blive ved med at holde øje med ham. Men nu havde Elius brug for at gå sin egen vej og bevise sig alene. Og jeg stolede på hans retfærdige hjerte og det lys, der ledede ham.

Mørket i hans blod var ikke herre over hans skæbne, hvis han valgte det. Og jeg ville være der for at give en hånd med, hvis du havde brug for det.

Epilog

Ingen vil fortælle mig, hvad jeg skal gøre, jeg laver min egen skæbne!

Mit navn er Elius og dette er min historie. Jeg voksede op under den voldsomme beskyttelse af min mor, Elia, og min onkel Orion. De beskyttede mig mod en mørk arv... arven fra min afdøde far, Lord Daarzak.

I årevis forstod jeg ikke grunden til så megen iver, indtil min mor til sidst afslørede sandheden. Jeg opdagede, at mørkets forbandede blod, arvet fra min far, løb i mine årer.

Ville dette også være min skæbne? At leve i ondskabens skygge som ham? Nej. I dag, væk fra min mors vågne øje, kan jeg bevise mig selv.

Jeg ankom til School of Magic i Nightglen fast besluttet på at følge det godes vej. Jeg fik hurtigt gode venner, som den afslappede Lucas og den intelligente Sophia.

Og også fjender. Den arrogante Marius går aldrig glip af en chance for at drille mig med min fars ry. Men jeg falder ikke for din barnlighed.

I timerne opdager jeg, at jeg er talentfuld i de fleste besværgelser, selvom jeg stadig mangler meget kontrol. Jeg håber, at jeg en dag vil have visdom til at bruge mine gaver ansvarligt.

Nogle gange mærker jeg mørket kalde på mig. Men jeg vil ikke give efter for mørkets hvisken. Jeg kan være bedre end den forbandede arving, som alle forventer, jeg skal være.

Min mors og onkels lys guider mig på denne vanskelige, men retfærdige vej. Og jeg ved, at selv langt væk passer de på mig. Jeg vil ikke skuffe dig.

For jeg er herre over min skæbne, og det bliver lyst. Så jeg sværger.

Om forfatteren

KÆRE LÆSER,

Mit navn er Antonio Carlos Pinto, en uafhængig forfatter fra Brasilien, og jeg vil gerne dele essensen af min litterære stil med dig, så du kan forstå det unikke og autentiske i mine værker.

Siden barndommen har jeg drømt om at bringe bøger med poesi, science fiction eller fantasy frem i lyset, der er i stand til at engagere og røre læsernes hjerter.

Gennem årene har jeg udviklet en række digte og historier, udforsket forskellige skrivestile, indtil jeg finder en unik fusion, der løber gennem både poesi og science fiction og fantasy.

Jeg kalder denne tilgang "Dark Neo-Romanticism", en blanding, der kombinerer romantikkens følelsesmæssige intensitet med den mørke atmosfære og overnaturlige elementer i gotikken.

Mit forfatterskab inkorporerer fragmenterede fortælleteknikker, udforsker modernismens subjektivitet og adopterer elementer af metafiktionalitet og narrativ dekonstruktion af postmodernismen, hvilket resulterer i en litterær tilgang, der udfordrer læserens forventninger.

Ydermere introducerede jeg "Sombroespério", en fusion af mørket og sperie, som hyldest til Shakespeare-stilen. Denne stil indkapsler Shakespeares dramatiske veltalenhed og den mørke nyromantiks intense følelser.

Født i 1983 i Maranguape, Ceará, bringer jeg rødderne og kulturarven fra Pitaguarys, et indfødt folk i regionen. Med mere end 12 bøger, der krydser genrer, er min litterære rejse et udtryk for passion, vedholdenhed og grænseløs kreativitet.

Hver side er et vidnesbyrd om min fantasis rigdom og dybden af mine refleksioner. Min beherskelse af ord strækker sig til at male, bliver et andet sprog til at oversætte komplekse følelser og visuelle fortællinger.

Jeg inviterer dig til at udforske dette litterære univers, hvor hver bog, inklusive "The Witch of Shadowthorn", "Wastervale", "The Medium Seraphis and the Fifth Dimension", "Maya and Alex and the Mechanized Sun", "Altered Realities", "The Flying of Free Birds", "Time Travel Theory", "Star Exodus and the Lost Dimension", "The Letters of Mariya Iris" og "Maria Espoleta", er et vindue ind i en fængslende ny verden, formet af en forfatter, der giver sin krop og sin sjæl til sin kunst.

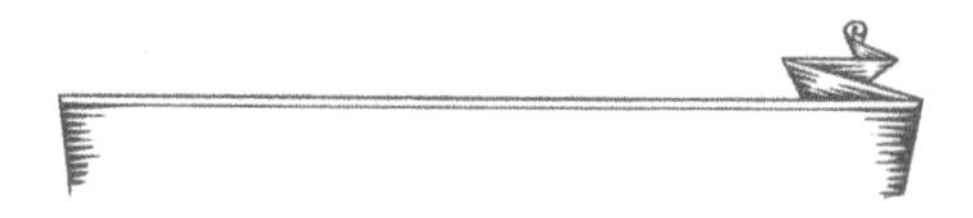

ophavsret

Kære læser,

Antonio Carlos Pinto, copyright-indehaver af værket "The Witch of Shadowthorn" eller "The Witch of Shadowthorn" , kommer for at informere dig om den juridiske beskyttelse, der omgiver denne litterære skabelse , uanset oversættelsen og det land, hvor værket er erhvervet .

Copyrighterklæring:

Værket "A Bruxa de Shadowthorn eller "A Feiticeira de Shadowthorn " er beskyttet af brasilianske ophavsretslove, især ved lov nr. 9.610, af 19. februar 1998, og af afsnit IV i artikel 5 i den føderale forfatning af 1988. Derudover, Jeg understreger, at beskyttelsen strækker sig internationalt, støttet af Bernerkonventionen, indarbejdet i det brasilianske retssystem ved dekret nr. 75.699, af 6. maj 1975, og i USA af copyrightloven, afsnit 17 i United States Code.

Som indehaver af alle ophavsrettigheder til dette værk, erklærer Antonio Carlos Pinto, at enhver uautoriseret brug, helt eller delvist, inklusive uddrag, karakterer og plot, er strengt forbudt. Kunstnere og udgivere, der er interesserede i at bruge elementer af denne skabelse, kan anmode om skriftlig tilladelse fra forfatteren via e-mail acpinto@duck.com.

Forfatterens kunstneriske navn og pseudonym:

Forfatteren Antonio Carlos Pinto erklærer til juridiske formål, at det vedtagne pseudonym, "Skyggetornsheksen" eller

"Skyggetornsheksen" nyder juridiske garantier som fastsat i artikel 19 i den brasilianske civillov, svarende til den beskyttelse, der tilskrives et civilt navn. Dette indebærer, at jeg bevarer retten til at bevare og administrere dette pseudonym.

Den kunstneriske ytringsfrihed:

Afsnit IX i artikel 5 i Brasiliens føderale forfatning fra 1988 sikrer forfatterens ytringsfrihed, der dækker intellektuel, kunstnerisk, videnskabelig og kommunikationsaktivitet, og produktionen af fortællinger som den, der er til stede i dette værk, er således fritaget for censur.

Advarsel om tilfældigheder:

Det er afgørende at forstå, at denne fortælling tilhører science fiction- eller fantasy-genren, og enhver lighed med virkelige mennesker eller begivenheder er udelukkende tilfældige, hvilket afspejler værkets fantasifulde karakter.

Tak for din forståelse og respekt for copyright. Må rejsen gennem "The Witch of Shadowthorn" blive lige så engagerende for dig, som at skrive den var for mig.

Arbejdsdata:

Forfatter: Antonio Carlos Pinto

Oprettelsesdato: 05/08/2023

Værkets navn: The Witch of Shadowthorn

Værkets bind: 1. bog - Daarzaks forbandelse

Genre af arbejde: Fantasy fiktion

Aldersvurdering: 16+

Dette værk blev digitalt signeret:

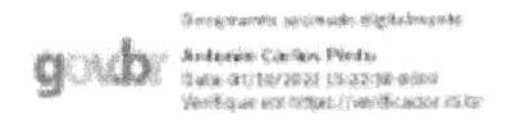

Forfatteren af denne bog, "Antonio Carlos Pinto", erklærer, at han digitalt signerede hver side af værket "The Witch of Shadowthorn" for at bekræfte sit forfatterskab, i overensstemmelse med artikel 4 i lov nr. 14.063 af 23. september 2020, som fastslår, at "Forfatterens underskrift identificerer hans forfatterskab af det intellektuelle arbejde".

Den anvendte signatur er konfigureret som en simpel signatur, forudsat i art. 4., inkl. I i den førnævnte lov 14.063/2020, som identificerer, hvem abonnenterne er og kan vedhæfte eller knytte data til andre data i underskriverens elektroniske format.

På denne måde kan læseren være sikker på ægtheden og integriteten af dette værk, hvilket bekræfter forfatterens forfatterskab gennem offentlige elektroniske signaturvalideringstjenester, som fastsat ved lov.

Billedkrediteringsmeddelelse

Billeddesign og original idé skabt af Antonio Carlos Pinto, ved at bruge sin egen inspiration til at generere billeder og/eller kunst med DALL-E 3-teknologi fra Microsofts Bing Create Images-værktøj. Bing Create Images følger indholdslegitimationsoplysningerne baseret på C2PA-standarden (Content Authenticity Protection Alliance), der er implementeret, hvilket giver godkendelse, der hjælper brugere med at genkende AI-genererede billeder. Eventuelle ligheder med rigtige mennesker er rent tilfældige, da forfatteren til den originale idé var afhængig af fiktion og fantasi for at skabe billedet eller kunsten gennem Bing Create Images.

Licens til brug for læseren:

Ved at købe eller få adgang til værket "The Witch of Shadowthorn", uanset trækkraften gennem køb af e-bogen i digitalt format af forfatterens officielle distributør, accepterer læseren følgende vilkår og betingelser fastsat af Antonio Carlos Pinto, rettighedsindehaverens forfatter af denne litterære skabelse:

1. **Personligt brug:** Dette værk er beregnet til læserens personlige brug. Enhver reproduktion, distribution eller kommerciel brug uden udtrykkelig tilladelse fra forfatteren er strengt forbudt.

2. **Tilladelse til at citere:** Læseren har tilladelse til at citere uddrag fra værket med henblik på kritik, analyse eller akademisk diskussion, så længe kilden er behørigt krediteret.

3. **Ingen ændringer:** Læseren har ikke tilladelse til at foretage ændringer, modifikationer eller tilpasninger til dette værk uden forudgående skriftlig tilladelse fra forfatteren.

4. **Ingen uautoriseret deling:** Læseren accepterer ikke at dele, distribuere eller gøre dette arbejde tilgængeligt på en uautoriseret måde, uanset om det er gratis eller betalt.

5. **Godkendelsesanmodning:** Enhver anmodning om brug, der ikke udtrykkeligt er tilladt i denne licens, skal sendes til forfatteren via e-mail på acpinto@duck.com.

6. **Beskyttelse mod digital piratkopiering:** Læseren forpligter sig til ikke at deltage i eller lette digital piratkopiering af dette værk, idet han er opmærksom på, at en sådan praksis krænker forfatterens ophavsret og er underlagt juridiske foranstaltninger i overensstemmelse

med artikel 184 i lovdekret nr. 2.848 af december 7, 1940 brasiliansk og også Digital Millennium Copyright Act i USA og den franske Hadopi-lov.

Licensbegrænsning: Denne licens er udelukkende gyldig for dem, der lovligt har købt e-bogen i digitalt format. Hvis brugeren har opnået værket på anden måde gennem downloads på internettet, bortset fra den officielle distributør og dennes partnere, er læseren ikke autoriseret til nogen af punkterne i denne licens.

Ved at acceptere denne licens forpligter læseren sig til at respektere forfatterens ophavsret og at bruge værket i overensstemmelse med de fastsatte betingelser. Manglende overholdelse af disse vilkår kan resultere i retslige skridt.

Tak for din forståelse, og jeg håber læseoplevelsen er berigende og engagerende.

Antonio Carlos Pinto

Forfatter til "The Witch of Shadowthorn"

Did you love *Heksen fra Skyggetorn*? Then you should read *Waster Valley - The Dark Forest*[1] by Antonio Carlos Pinto!

[2]

"Open the doors to the wonderful world of Waster-valley, where the magic of nature intertwines the destinies of men. This expansion takes you on an even deeper and more immersive journey, where the trajectory of Tomas L. Mawr, a nobleman haunted by a dark past, takes on a new dimension.

Tomas, once known for his cruelty, embarks on a quest for redemption after a moment of epiphany when he observes the cycle of life in the golden autumn leaves. Driven by the need to correct his transgressions, he ventures on an odyssey that will lead him into the unknown, guided by the winds of change and his own determination.

---

1. https://books2read.com/u/47dAn7

2. https://books2read.com/u/47dAn7

Your journey takes you to an ancient tree that rests in the heart of the forest, a place of power and mystery. Under the imposing canopy of this tree, Tomas confronts the shadows of his past and begs for forgiveness. When he finally finds relief, he resumes his journey, ready for a fresh start, but aware that many challenges and secrets still await.

As Tomas moves between the natural and enchanted world of Waster-valley, he discovers deep secrets about his own nature and the magic that permeates those lands. To move towards his redemption, he will have to face trials that will test his resolve and make crucial choices between the forces of light and darkness.

In this expanded account, you, the reader, are transported to a fantasy universe that unfolds before your eyes. Here, the magic of nature and human decisions intertwine in a complex web of shadows and hope. Follow this epic saga between two worlds, where the line between the real and the enchanted is thin, and where the destiny of Tomas L. Mawr is shaped by choices that echo in eternity."

About the Publisher

Born in the majestic Rocky Mountains, in tranquil Maranguape, Ceará, Antonio Carlos Pinto emerges as an innovative figure in the literary landscape of Brazil, Germany, Ireland and Ukraine, achieving global renown.

A descendant of the illustrious Pinto family from Portugal and a legitimate member of the Pitaguary community, his journey began on the banks of the Maranguape River, shaping himself through cultural education in Portuguese, English and Spanish.

Father of two children, Antonio faced tragedy with the loss of one of them to cancer and abandonment by his beloved wife. Immersed in pain and loneliness, his pen fell silent for several years, but in 2023, he reemerged like the phoenix, continuing his legacy of stories, releasing new works of fiction and fantasy.

With a classical training in painting, Antonio explored literary styles such as Gothic, Romantic, Modernist and Post-Modernist, giving rise to the innovative "Neo-Romanticism" and the distinctive

"Sombroespério". Inspired by figures such as Nora Roberts, W. Somerset Maugham, Stephenie Meyer, Shakespeare, Aristotle, and Plato, he has forged a unique voice, interweaving science fiction, fantasy, romance, and poetry.

Shrouded in mystery, his whereabouts are known only to the gods and family, but his imagination continues to create captivating series and exciting narratives, while he dedicates himself to leisure time, enjoying both classic contemporary and medieval romance. Antonio Carlos Pinto, an author whose words transcend borders, touching the hearts of readers around the world.

Milton Keynes UK
Ingram Content Group UK Ltd.
UKHW010710050224
437294UK00018B/724